文芸社セレクション

「数」 13457

髙田 賢吾

JN035524

文芸社

はじめに

　表紙の標榜「スウ7」「スウ4」数1「スウ5」「スウ3」の「数」13457には今までに言われてきた性格意義とは違う意味が出てきました。

　基準となる数「1」はペルシャやインド、中国で「根源」であると記されています。そこで、この基準の「1」から各数の性格意義を割り出そうと正に「割算」を試みました。

　するとそこにはそれぞれ違った端数がありその特徴には過去に云われてきたこととは別に性格意義があるようで、それを人間社会の習慣規則に遵守し照合したところ標榜の「数」が適合しました。と同時に各数には意義の繋がりがありました。そこでこれら各数を今、懸念されている地球危機の終末時計「核問題」と「環境問題」に役立てられればと整理し提案してみました。

　核「終末時計」では米科学誌『原子力科学者会議報』が発表し過去に「7分前」「3分前」「17分前」があり、最近のロシアの行動から「90秒前」だと声をあげています。また、地球環境では「9時45分だ」としています。「核問題」は保有国が主張する覇権の絡み合いで核兵器使用の驚異の「何分前」なのかです。「環境問題」では2020年代には「残り5分もない」ようで速い対応が望ま

れます。共に「深夜0時」に起こるであろうことを想定した終末です。問題の核保有国の包括圏争いは使用を仄めかすロシアのウクライナ侵攻等に見られる、歴史的、文化、宗教、人種の違い等利害関係からです。

「環境問題」は経済優先で海や陸の自然を破壊するいつまでも実行が伴わないパリ協定（気候変動枠組み協定書）共々終末時計から警告されることは「地球は全ての生物を見捨てる」と云うことです。人類が直面している真に共生共存の精神が必要な状況になっています。

「核問題」では日本が懸念する広島長崎への原爆投下がありました。が、ここでは主に「環境問題」を取り上げました。「地球環境」「温暖化」は経済優先の産業革命以後からの二酸化炭素やメタンの増加に起因します。それは地球に沿った生き方をしてこなかった人間にあり、環境悪化は陸からもたらした気候変動による海水温上昇によるものです。その原因の一つが海に溜まる「プラスチックごみ」にもあります。石油製品プラスチックは人間の成果で社会のためになるはずでした。が、地球を汚し今、その付けが生物に回ってきています。生態系では世界絶滅危惧種が4万2018種となるほどの異変が起きています。住まいである地球が汚れ生態系を乱しているのですから、出来ることから始めることです。それは無駄使いをなくすことからで無駄使いしなかった江戸時代には使い捨てなどなく再利用（リユース）やリサイクルで

物を大切にしていました。「終末時計の残り5分足らず」では現状の政治レベルでは間に合いません。各自のこととして日常生活から行動を起こさねばならない逼迫した状況なのです。＊「地球環境の基本1」は「循環3」することで「循環型4」になる「状況5」が「維持継続存続7」になるのです。
　「地球に優しい」は「無駄をしない地球に沿った生き方」です。

第一章
数とリズム

　数は、ペルシャやインド、中国などで「1」は根源である「2」は極性分割「3」は統合「4」は物質界の秩序「5」は正者「6」は世界「7」は知恵「8」は幸運「9」は聖なる事象（―すがた―）と記されています。数にはこれ以外にも何か特徴が、あるいはリズムがあるのではと調査分析してみました。

1・数１、３、４、５、７の性格つけ

　１、２、３、４、５、６、７、８、９の数の性格は、根源の「１」を各数がどう「分解」させるかです。それぞれを「割り切」り、小数点以下から分析しますと、１を１で割ると根源の「１」で、「あらゆる対象」に当てはめられます。次に２－９までの数で割ってみますと

　（２は）0.5。（３は）0.333…。（４は）0.25。（５は）0.2。（６は）0.166…。（７は）0.142857142857…。（８は）0.125。（９は）0.111…。となり以上のことから端数の特徴別に整理してみますと。

　　・割り切れる数は（１、２、４、５、８）
　　・割り切れなく小数点以下が同じ端数を延々続ける
　　　（３、６、９）
　　・他にはない端数が続く数（７）
　　これをさらに整理しまとめると
　（１、２、４、５、８）―２、４、８はそれぞれの倍数。「１」、「５」は単独数。
　（３、６、９）―３、６、９はそれぞれ「３」の倍数、三倍数。
　（７）―他にない数「７」は単独数。と整理されます。
　「」に入らない２、４、６の２は分解されて１となり、６は分解されて３となり「４」と「３」にまとめ単独数を加え「１」「３」「４」「５」「７」を標榜にしました。

＊端数のない元の「1」は「根源」です。調査分析の対象全てをここに置きます。

＊端数の繰り返し「3」は「1」を「調査分析」又、「起こす、動かす、不安定形」です。

＊端数のない「4」は「3」で得られた「成果」又、「達成、静止、安定形」です。

＊端数のない「5」は「4」からの「状況」で「好悪の手本」になります。

＊端数が永遠と続く「7」には3がなく「継続存続維持」で「好くも悪くも続く」のです。

＊「数－735」で現状分析した結果の「バランス手本」「5」で将来に役立ちます。

＊「数で整理した」当時の「水不足問題、節水の考え方」をここに書きます。

節水　節水となる対象「1」を分析する「3」ことで成果「4」の状況「5」が得られます。無駄にしていることが多いのは水栓の蛇口からです。例えば、自宅で歯を磨く際ほとんど磨き終わるまで蛇口の水は出しっぱなしが多いからです。それは利き手が歯ブラシで塞がり空いている逆手で蛇口を開閉するには少々面倒です。節水は水栓の「蛇口1」からと定めたら、次に如何に無駄な水を「止めるかの行為3」から「節水成果4」が得られます。蛇口から使用する水、使っていないときは「水栓の下に

手やコップ」はありません、「差し出した時は使用中」ですからそれを感知して水を止出すれば節水に繋がります。

自動水栓　ある大手設備業者が水不足で梅雨時期貯水池に雨が降らなかった夏の年、水の節約について通信冊子にアイディアを募るアンケートがありました。このアンケート用紙に提案を書き込みファックスしたその1年半から2年後に、多くの公衆施設に自動水栓が設置され始めたのです。アイディアは他の方々からも多数寄せられたことと思いますが、その一人として提案したことを今でも喜ばしく思っています。

公衆施設の水栓　家庭では日常蛇口の水がチョロチョロ出ている時は家族の誰かが止めます。しかし、公衆施設の蛇口から多少水が出ていてもせいぜい隣の蛇口までで、他を止めて廻る第三者はいないでしょう。その点でも公衆水栓に注目します。

大切な水　「水の節約の成果4」が「数1345」で得られるのです。

「止められた水も出しっぱなしも好悪―継続存続維持7」。

2・根源の基準「1」は地球から

「地に着いた言葉、人、行動」等の表現があり「地は揺るがない」過去からも地球を人々が常に意識していたことが分かります。そこで、この基準「1」の「長さ広さ重さ」は地球から極められたのではないかと「調査して」「3」みました。

基準になる長さ「1」mは西暦1875年メートル条約（フランス）を締結し全世界の単位をメートル法に統一しました。日本も明治19年（西暦1886年）この条約に参加しました。メートル（metre）はフランス語。三つの方法が考えられました。

① 地球の北極から赤道までの子午線の長さの1000万分の1

② 赤道の周長の4000万分の1

③ 北緯45度の地点で半周期が1秒になる振り子の紐の長さ

上記で③は時間が関係するので正確さに手間がとられます。②は赤道上なので物理的に測量が困難でした。残った①に国民議会で西暦1791年正式に採用され翌年より北極から赤道までの長さを測りました。実測方法はパリを通過する同一線上にあるフランス北岸のダンケルクからスペイン南岸バルセロナまでの直線上を三角測量で繰り返し計測し、子午線上のぶれを調整し7年かかり

西暦1798年完了し、翌年の1799年に白金製の正式な「メートル原器」が作成されました。この「メートル原器」が国立史料館に保管されたことから「アルシーブarchiveのメートル」と言われています。メートル原器は30本作られ、No.22がくじ引きで加盟した日本国にあります。因みに日本のNo.22は差が0.78μmだそうです。

　白金90％、イリジュウム10％の合金で断面はX字形発案者名「トカレスの断面」をしていて両端付近に楕円形のマークがあり、その中に3本の平行線が引かれていて0℃の時中央の目盛り同士の間隔が1メートルであると決められています。No.6の原器が「アルシーブのメートル」の長さに最も近かったために、これを「国際メートル原器」としました。

広さ－体積－重さ　広－体積－重さですが、「1メートル×1メートル＝1平方メートルの広さ」「体積はこれに高さ1メートルで1立方メートル」「重さはこの中に水を満杯にして1トン」と国際基準で定められました。

光からの距離　因みに、年代と共にメートル法で定めた単位の基準はたびたび見直され後の1983年に、光が約3億分の1秒間に真空中を進む距離が1メートルであることが分かり、その距離に微調整されました。これは測定技術が進歩したためで、これによって重さのずれが分かり、重さの決め方も光に関係する「プランク定数」を使い電子の重さを計算から割り出し1kgが決められていま

す。今までの1トンは水の蒸発や汚れによる誤差を生じることがあり2019年11月に見直し、物理定数「プランク定数」がキログラムの定義の基準になりました。これからも見直しはありそうです。が、元々は「地球からの1が基準」になっていたのです。

3・数回数「3」から成果「4」へ（規則、習慣、諺、自然界、精神、形）

　社会の規則や習慣諺には「3」にまつわる決まり事がよくみられます。また、生物内臓の原形三角錐形をはじめ口腔歯の大臼歯の根っ子「3」本にも見られます。

神事の参拝　参拝は通常 ｜二礼、二拍手、一礼｜ します。礼は計「3」回で、「自身の心に祈念して成果4」を得るためです。また、二拍手は神様に自分の存在を知ってもらい「神に出会」「3」いそして「祈念」「4」します。

　因みに、手を二回たたくことは人を呼ぶ時振り向い「3」たら声を掛ける「4」普段の行為です。気付くまで何回でもたたきますが連続三回たたくことはしません。相手に対する意味が違ってしまうことを既に承知しているからです。

民主主義三権分立　民主主義の ｜立法、司法、行政｜ があります。この「三権分立の3法」があって分立した「統治権4」を目指すことで世の中の「秩序の均衡を保ち」ます。

三徳　徳の世界では ｜知、仁、勇｜ の「3」があります。「三徳によって人に関与する」の「美徳4」を自身の心に強く根差すのです。

スポーツ等競技　スポーツ等競技で優勝の一位から二位三位までが表彰台に上がり金銀銅三つのメダルがそれぞ

れに供与されます。入賞も称えられますが、先ずは
「3」位までです。

野球の極まり　野球に「3から4」の極まりがあります。
四か所に4つのベース板を置いてボールを使うご承知の
競技でその極まりには「動き3」から「得点成果4」が
あります。ベース上一、二、三塁までは得点にならず4
つ目のホームベースで初めて得点の成果になります。
「スリーアウトで攻守交替の動き3」、「スリーストライ
ク3で1アウト」「フォア4ボールで一塁への成果」「4」
です。ルールは過去何回か変更されてきましたが最近ま
で変わっていません。

国技相撲　相撲にも「3の極まりごと」があります。
　先ず、三賞として「殊勲・敢闘・技能」の「3」（優れ
た功・勇敢な戦い・腕前）が各関取に供与されます。そ
して、相撲の要は三役で「大関、関脇、小結」の「3」
でそれぞれに力士がいないと場所が始まりません。大関
不在は過去6場所（2020年春場所にもあり7場所）あり
ました。この時は横綱が横綱大関としておかれ厳密な意
味で三役は消えたことがありません。また、三役上の
「横綱は達成された成果」「4」なので関取としてその先
がないためいずれ引退した後「元－横綱」の「元の1」
に戻ります。
　行事の「東西トウザイ」から始まる東西はコンパスに
より決められ、北を向いた行司の立ち位置から右手側が

東、左手側が西で、正面からは逆です。同じ地位でも太陽が昇る東は沈む西より高位と決められています。これも地球「1」を意識した極まりが見られます。東と西に別れた力士が四股を踏み、柏手を打ち、両の手を挙げ、足裏に、掌に、脇の隠れる部分に武器なるものを持たないと互いに見せ正々堂々と戦うことを誓います。四股は地球地べた「1」に存在し、そして「力を込めて戦う」「3」動作なのでしょう。又、立ち合い前の姿勢蹲踞は足裏の指とその付け根で出来た「四角形で安定」しています。

文殊の知恵　「三人寄れば、文殊の知恵」「3」の「成果」「4」です。これも「三人寄る」「3」からの「知恵」「4」と云うことです。

三原色　太陽のもと自然界にある色 ｜赤、黄、青｜ は三原色です。この「3の原色」が「混ざって他の色4」を作ります。三色のバランスがあうと元の色－無の白「1」に戻ります。そして青空に描かれる虹―七色の像―もあります。

知・情・意　「知」―知恵知能、他。「情」―感じて、おこる、心の動き、他。「意」―こころ、気、他。人間の「知能と感情と気持ち」の「3」です。

心・技・体　「心技体」「3」「揃った人」「4」
・「心」知・情・意の総称。精神気持ち他。趣向、意味、　胸、物の中心等々の意味で使われる。

・「技」技術、相手を負かす術・「体」身体、五体、胴
　　＊「3が揃って4の完成」です。

生物内臓の原形や大臼歯の三本の根っ子　各内臓の原形
は管で原型三角錐です。また、大臼歯の根っ子は多少動
いても抜けない三本で複雑な力に対応し、食物を砕きす
りつぶす役目を担っていて、まさに字のごとく臼「う
す」です。物を嚙む力はとても強く顎の動きは複雑、そ
の力が大臼歯にかかります。つまり、その臼が「咀嚼」
「3」して「栄養食物」「4」にして体内に送り込み各内臓
に吸収分解され「3」ます。

　社会の規則、習慣、諺、自然界、精神、形に「発展行
動3」からの「達成4」に社会の極まりや自然界全てに
見られます。

4・「点と面」測量は調査する「3」からの成果
「4」で地図を描き動きの不安定形「3」から静止の安定形「4」の成果

測量機一点から対象二点の三点測量　測量は我々が対象一点を視覚、聴覚の両眼耳2点で捕らえその存在形距離を脳に伝える同様で、基軸一点と対象二点を測る「3点ポイント測量」です。三点は崩れることがなく「正確な形4」を描きます。この三角形は高さ広さを定め、その積み重ねを順次増やし対象を描きます。そしてその形が「地図4」として描かれます。

最初の日本地図　日本地図は海と陸の境を測り陸の形を描いたのが面としての地図です。測量機は三点の原理から久米通賢が考案しました。これを使い大変精度の高い日本地図｛大日本沿海輿地全図｝が伊能忠敬（忠敬56歳）によって、1800年から16年かけて作られ、忠敬没後1821年日本地図が完成されました。この地図は、そこがどのくらいの広さ形なのか隣国とどのような地理的関係にあるかと色々と役立つもので目的は主にそこを統治するためでした。忠敬の最初の測量は、隣国からの侵略危機感のあった蝦夷地（北海道）の実測を急務として幕府が治安上正確な地図を必要とし始められ、その延長上の日本地図なのです。一点を軸に陸地と海の境を歩いた「二点を測る3点測量の地図4」です。

機材の三脚と四脚の利便性　カメラや測量機水平器機の三脚は地面にセットする時地面が凸凹でも操作は簡単です。これに対して四脚の安定形は地面が真っ平であればいいのですが凸凹に合わせるのは少々面倒です。それが「三脚3点と四脚4点の適応性の違い」です。

四脚足動物　四足の動物は立っている状態は「四足で静止安定4」で、一足上げて「三足の不安定3」から歩き始めます。つまり、「3から4」「不安定動から安定静止の達成」です。

三輪と四輪の車　次に車の三輪と四輪の乗り物で三輪車は不安定形ですが乗り方次第では小回りが利き自由に動けます。これに対し、四輪は安定形で動きは三輪に比べて劣ります。このことからも子供用三輪車は自由に体を使って動き回れるため発育段階には適しています。自動車では三輪車が昭和30年代（1955年代）頃大いに活躍しました。当時の道路は未整備で凸凹かつ狭くまた、雨が降れば濡れた道路の泥水が歩く後ろ脚に跳ね、水溜まりを通る車から跳ね水を掛けられる大変な状況でした。市会議員などは道路整備を地域住民に公約としてあげたくらです。そんな道路状況の悪路では三輪自動車の方が適応性に優れていたのです。これに対し四輪車は凸凹路面では1点車が宙に浮く難点があり、尚のこと三脚同様「3輪車」の方が悪路に適していたのです。

　近年の舗装された路面でも「4輪車」の欠点は自在に

動くには難点があるということです。これを補うため「前2輪の間隔を逆ハの字型にして機能的に一点に近付け」「3」点にしています。四輪車は最近各車軸を上下に動かし路面をしっかり摑むことが出来動くための基本「3」点に近付けています。4点でも働き易くしたのが「みそ（3）」なのです。

　以上からも「性格意義が3と4それぞれにある」ことが分かります。

5・「環境４」は地球表面　海と陸の７対３割合の 「状況５」に

地球環境　地球環境は海の状況で決まります。また、海の状況は陸次第です。

環境状況　「5」そこで「環境状況」が数「5」とされる根拠について説明しますと「4」から「5」になる状況は姿勢からも見られます。座禅の姿勢は「無の心境」に入る修行で姿勢を安定させねばなりません。安定は「4」でその基本態勢は座骨二点と膝二点の四角形「4」から瞑想する「3」ことが出来るのです。また、瞑想に入る「状況」「5」が「維持継続」の「7」になります。数「5」は4からの「状況」また「環境」とすることが出来ます。そして、その地球表面どの様になっているでしょうか。

海あっての陸　地球表面積の七割（約4.2億km^2）が海、三割（1.8億km^2）が陸です。海に対する陸の割合は1.8÷4.2×10＝4.28で「海10あっての陸の成果4」であることが分かります。海あっての状況から陸の環境はどういうことかと云いますと、海近辺の陸の環境は寒暖差が少なく穏やかなのに比べ、内陸部はそれが大きく過ごしやすいとは云えません。その差は一年を通して海水温度が一定なことに理由がありまた、地球全体でみると一塊の大陸が五つに分かれたことで各陸の周囲が「海に囲ま

れる状況5」になったのです。しかし、最近は海水温上昇で地球全体に温暖化が進んでいます。

循環の環境と生物多様性　地球環境は大気と水を太陽からの電磁波で光と熱の光合成による「循環する」「3」でその「環境」「4」が「生物多様性」「5」を「持続」「7」させています。生物は海で潮の流れに伴い育まれ、極海の凍りつく氷河下でも育まれています。こうした環境が生まれるのは海と陸の割合にあります。もし、「海あっての陸―7の3」から「陸あっての海」でしたら海は枯渇し陸は砂漠化で生植物を育むことなく「生物多様性5」にはなりません。海が地球の生物多様性持続に関与していることを我々人間は心に留め海を大切にしなければいけないのです。

国連の気候変動（IPCC）　気候変動に関する政府パネルでは195ケ国が加盟し、専門家が分析評価しています。2018年の特別報告書では、科学が真剣に鳴らす警鐘であり、耳を傾けるべきだ、と。地球温暖化による気候変動に、政治の方針が今のペースでは2030年には上昇が1.5℃で熱波や干ばつ、洪水が増え海面上昇や動植物の生息域の減少、水や食料の不足、健康問題に苦しむ人々が増えてしまい自然災害で凶作になり、2.0℃では人類の多くは餓死や病気で亡くなると報告されています。既に気温は1℃上昇していて、2030年には1.5℃上昇すると特別報告書は述べていて「悪循環を繰り返して継続－

3の7」です。

COP24　国連気候変動枠組み条約締約国会議　COP24は削減目標の公平性や資金支援などの意見の食い違いをなくし、実効性のあるパリ協定を動かせるかを、各国が受け止めて交渉を加速させています。が、実行性を伴っていません。

温室効果ガスと日本経済　化石燃料の火力発電や工場からの二酸化炭素排出は、自然再生エネルギー転換が遅々として進んでおらずまた、企業の経済優先が削減努力を後回しにしている現状です。削減努力の意識が薄いのはヘイステイ経済故ですが経済の勝ち組であっても目先に囚われているだけで一時期なのです。もっと地球の未来生物存続を意識しなければいけません。

共生共存　「あるがままの必然性からの生き方が地球生物の基本」「5」になります。

温暖化対策は毎日の生活から　快適な日常生活は毎日の繰り返しですから生活ゴミの処理同様「地球環境も各自生活の仕方−5」にあります。温暖化対策もそこから始まるのです。

6・「環境状況5の継続7」は「循環する3」「好悪二方向」の「6」

「**数6**」　数の性格づけで「6」は「3」にまとめ標榜から外しましたが、改めて「6」について意義があることに触れてみます。壊れそうな状況環境5が「循環して」維持継続7になりますが、「循環」には「好悪」があり、二面性「6の意義」を改めて取り上げます。

好環境の地球リズム　「好循環し3」さえすれば温暖化は抑えられ吸排出の「バランスで環境5は保たれ生物生態系維持7」が継続されます。地球リズムで生活すれば「循環型5」となり異変の温暖化は起きません。

悪環境で変化する生態系　地球上の二酸化炭素増加で温暖化による気候変動が生き物同士の関わりにズレを起こし生態系を変えつつ「生物多様性存続7を不可能に3」にしています。

自然好循環「3」　自然界では海水が気化して蒸発し風を伴う雲になり、飽和状態になって雨を降らせる循環の繰り返し。陸地にない水を海から運び潤します。森林に雨が浸み込み浄化され地下に保水され、地上に降った雨は生物に恵みを与え砂漠化を防いでいます。生物では植物の実芽葉を動物が食して種を運び糞をし、また、死骸が肥料になり植物の成長と種の存続に寄与していて、その栄養分が海に流れ込み海洋生物を育てる海と陸との「循

環し3」て太陽のもと生態系形成は繰り返していきます。

石油製品悪循環「3」 プラスチック製品は地球に戻りません。昨今、海底に川から毎年800万トン（2019年調べ）が流れ込んでいます。レジ袋を始めとして使い捨てコンタクトレンズ、ストロー、容器、ビニール袋、発泡スチロール他です。その一部が海岸に押し戻されその量からも海底に溜まったゴミが想像されます。このプラごみは海底でマイクロプラスチックとして浮遊していて「魚の体内に入り」「その魚を食する人間」に「悪循環し3」て影響が出始めています。海中のプラスチックは2050年には魚と同じ量になると報告されています。プラスチック類は消費せず捨てず再利用してきれいな海を取り戻さなければいけません。この悪い状態が続くと「地球環境5が悪化継続7」の「3」悪です。産業革命以前の循環型環境の海に戻さねばならないのです。この繰り返しの循環が滞り始めた今、この問題点を、国連の気候変動に関する報告が地球環境の危機を危惧しています。

循環型地球 陸で循環型となる「循環する3」は生態系を形成する食にあります。食した動物の糞は循環型になっていて特に、雑食動物にとって人の糞は高い栄養分があります。糞を腐敗させた後、肥料として土に撒けば土に力を付け作物を育てます。1950年代までは、わが国では農作物の肥料に使われていました。今では下水道を通して集中浄化槽でBOD（生物化学的酸素要求量）

の数値が確保されてから川を通して海に流されています。しかし、浄化よりも昔のように畑に造った肥溜めに入れるごとく加工して「肥料4として土壌に戻せ3ば循環型状況5」になるのですが…。

循環型日本建築　気流重視　湿気の多いい日本では「住まいは夏を棟とすべし」で開放的な造りでした。湿気を嫌うため風通しよく床を高くしかつ、床には畳を敷き部屋の仕切りは和紙の障子戸や唐紙の襖戸で囲い湿気を吸収する材質かつ開放的な造りでした。畳の大きさは日本家屋の基準になっていて3尺×6尺（91cm×182cm）のモジュラス（率、係数-modulus）¦関東間と関西間に大きさに違いがある¦ です。武家屋敷や古民家は天井が2.7m（「9尺は3の3」倍）で、掃き出し窓の上に天則窓、部屋と部屋を仕切る襖戸の上には欄間がありました。天井の付近の室温は1°〜2°高いので上部空気を天側窓や欄間で外へ流し出し下から外気を入れ室温全体を下げました。天側窓や欄間を開けていても外からは見えない頭上の高さでプライバシーは守られます。他にも欄間の役割は隣室から欄の香を焚いて、客をもてなす構造でもあったのです。昭和25年建築基準法が制定され、床下換気口は隣家延焼を防ぐよう小さくし、そのため外気流が少なく湿気易くなりました。今、空調機設置や建設コスト削減で天井高さは2.4m（8尺）で欄間はあまり見られません。

　また、気流重視と云えば便所の窓にもあります。今は水洗が主流で昔のような便所〔汲み取り式〕は見かけなくなりました。当時の便所は「循環型」「5」の「風の流」「3」を考慮に入れ上下に小窓を設けていました。平均的な大便所は0.75畳から一畳ほどで外に面する壁の幅は91cm（「三尺3」）床から高さ21cm（七寸は尺の3/4）ほどの引き違いの窓と床から上端高さ182cm（六尺）にも高さ30cm（一尺）ほどの引き違いの窓があります。その便所「1」人が入ると体温で気流が起き「3」循環型「5」の暑さ臭いを抑えた状況「5」になります。「気流重視4」「好循環型5」です。

＊「6」の二方向「循環する3」で「循環4」「状況5」「持継続7」がこれから必要です。

7・「テンポ」「リズム」「5」は「3」の「成果4」から「継続7」へ

テンポリズム　¦人のサーカヂアンリズム¦「数」の「743」を検証。

力を合わせる掛け声　1、2、3 ¦イチ、ニノ、サン¦ ¦セ、イ、ノ¦ ¦えいほ¦ そして到達達成に。複数人で力を合わせて物を動かす時「掛け声をかけ息を合わせることで成す」「34」を目指します。また ¦イチ、ニ、サン¦ だと字数が合わず ¦ニをニノ¦ にして「リズムを合わせ」「5 3」ます。この掛け声は一回で一気にことを成すために適しています。

　¦セイノ¦ は目的を果たす距離時間が長い場合「継続の多数回繰り返すことでそれを果たし」「7 3 4」ます。距離や時間が関係する ¦セーノ¦ のリズムの連続でテンポをゆっくりと。

駕籠屋のテンポ　駕籠かつぎは天秤棒を肩に杖を片手に「前後二人の足の運びを掛け声でテンポリズム」「3 4」を合わせます。その掛け声は「えいほ」は「長距離を走る時に－7」ふさわしく坂の上りや下りの状況により「えーほ」と自在に変えるのが好いようです。

マラソン　長距離は状況によって変わりますが ¦えいほ¦ かもしれません。昔、大学駅伝で駕籠屋を雇って走らせましたが、「えいほ」の掛け声で駕籠担ぎ屋とばれ

たとか？　本当のことかは定かではありませんが、「掛け声をかけて目的を果たす－3て4」ことは日常茶飯のことです。

祝うための手たたき　1本締め　¦3回¦　両手をたたいて十本締め

「よーお」
　　　　3
「シャン　シャン　シャン　　シャン　シャン　シャン
　　　　　　　　3　　　　　　　　　　　3
シャンシャンシャン　シャン」と手をたたく。
　　　　（3　　　　　　　　　1）

　これを3回繰り返して三本締め。

「ことの決着を祝って行う揃い締め」終わりの4は悪いことを遠く避けてめでたいことを願う意味があるようですが「数から見れば達成4」です。これを「3回繰り返すことでなおのこと願う気持ちを強くする」そうで最初の掛け声「よーおっ」は「祝おう」の意味。「三回動きを起こして四で祝う」－「3」「4」ことはここでも見られます。もちろんより良いテンポでよりよい成果が祈念されることでしょう。

応援団の掛け声　応援する応援団の掛け声では337拍子がある。

　「チャンチャンチャン　　チャンチャンチャン
　　　　　3　　　　　　　　　　3

チャンチャンチャンチャンチャンチャンチャン」

7

　まさにこの調子で延々と続く。先ほど説明をした絶対
数 ⌈1⌋ を7で割ると端数が0.142857142857、、の繰り返
しで延々と続くことが分かります。「続くことでは攻撃
し続けるための応援には最適」－「7」「4」です。ここ
での応援が止まらないので、とりあえず「最後のチャン
チャンの2回で1に戻して」終わらせましょう。
　「数」から見た「3」と「7」の「大きな違い」性格、意
味で ⌈1⌋ を3で割ると端数0.3333の中に「7」がない。
つまり、「3」には変化を起こさせ「4」にしますが、
「7」には0.142857142857、、で「3」がなく「変化させな
い良くも悪くも延々続く」「7」であることが分かります。

8・金子みすゞ　詩のリズム「3457」六編から

＊もくせい
1・もくせいのにおいが　庭いっぱい。　　字数
　　　　　　9　　　　　　　　6　　　　　　＝15

2・表の風が、御門のところで、
　　　　　7　　　　　　8　　　　　　　　　＝15

3・はいろか、やめよか　相談してた。
　　　　4　　　　4　　　　7　　　　　　＝15
　　風が、もくせいのにおいをとばしてはいけないと、庭
に入るかどうか迷っています。
　　三行15字「3」のリズムどうしようか結論「4」を読
み手に求めているようです。

＊積った雪
1・上の雪 さむかろな つめたい月が さしていて　　字数
　　　5　　　5　　　　7　　　　　5　　　＝22
2・下の雪　重かろな。　何百人も　のせていて。
　　　5　　　5　　　　7　　　　　5　　　＝22
3・中の雪 さみしかろな 空も地べたも みえないで
　　　5　　　　6　　　　7　　　　　5　　　＝23
　　そして、雪はどこにいても大変、あなたが雪ならどの

位置がいいの？　と問いかけているようです。テンポリ
ズムが同じで詩に入りやすく、「3行で問いかけ」て次
の「4行目を読み手のあなた」だったら？　と。

　＊星とたんぽぽ　　　　　　　　　　　　　　　字数
1・青い　お空の　そこふかく、　　　3　4　5　= 12
2・海の　小石の　そのように、　　　3　4　5　= 12
3・夜が　くるまで　沈んでる、　　　3　4　5　= 12
4・昼の　お星は　眼にみえぬ。　　　3　4　5　= 12
5・見えぬ　けれども　あるんだよ、　3　4　5　= 12
6・見えぬ　ものでも　あるんだよ。　3　4　5　= 12
7・散って　すがれた　たんぽぽの、　3　4　5　= 12
8・瓦の　すきに、　だアまって、　　4　3　5　= 12
9・春の　くるまで　かくれてる、　　3　4　5　= 12
10・つよい　その根は　眼にみえぬ。　3　4　5　= 12
11・見えぬ　けれども　あるんだよ、　3　4　5　= 12
12・見えぬ　ものでも　あるんだよ。　3　4　5　= 12
　　この詩は同じ12字数を繰り返すリズムでうたいやす
く12行で完璧に結論を出し終わっています。12は3、4
の倍数で「3」から「4」へ断定して「1」へ戻ります。

＊不思議①
1・私は不思議でたまらない、　　　　　　　　　= 13
2・黒い雲からふる雨が、　　　　　　　　　　　= 12

3・銀にひかっていることが。　　　　　　= 12

　不思議②
4・私は不思議　でたまらない、　　　　　= 13
5・青い桑の葉たべている、　　　　　　　= 12
6・蚕が白くなることが。　　　　　　　　= 12

　不思議③
7・私は不思議でたまらない、　　　　　　= 13
8・たれもいじらぬ夕顔が、　　　　　　　= 12
9・ひとりでぱらりと開くのが。　　　　　= 13

　不思議④　　　　　　　　　　　　　　字数
10・私は不思議でたまらない、　　　　　= 13
11・誰にきいても笑ってて、　　　　　　= 12
12・あたりまえだ、ということが。　　　= 12

　この12行は大きく分けて①「ひかり」も②「色」も③「状況」も④で「あたりまえだ」の結論を「4で断定」して読み手の同意を求めます。字数も13、12、12と少し乱れたながれ。いかにも　「ふしぎ」な心の表れのようです。

＊わたしと小鳥と鈴と　　　　　　　　　　字数
1・私が両手を広げても、　　　　　4　5　5　＝14
2・お空はちっとも飛べないが、　　　4　4　5　＝13
3・飛べる小鳥は私のように、　　　　3　4　7　＝14
4・地べたを速くは走れない。　　　　4　4　5　＝13
5・私がからだをゆすっても、　　　　4　4　5　＝13
6・きれいな音はでないけど、　　　　4　3　5　＝12
7・あの鳴る鈴は私のように　　　　　4　3　7　＝14
8・たくさんな唄は知らないよ。　　　5　3　5　＝13
9・鈴と、小鳥と、それから私、　　　3　4　7　＝14
10・みんなちがって、みんないい　　3　4　5　＝12

　この10行目で「みんなちがっていい」「4の結論」で
す。字数で少しずつ違うところに結論付ける「ためらい
の揺れ3」を「心優しい謡い手」に感じます。リズムが
そこに。

＊日の光①　　　　　　　　　　　　　　　字数
1・おてんと様のお使いが　　　　　　4　3　5　＝12
2・揃って空をたちました。　　　　　4　3　5　＝12
3・みちで出逢ったみなみ風、　　　　3　4　5　＝12
4・（何しに、どこへ。）とききました　（4　3）6　＝13

　　日の光②

5・一人は答えていいました。　　　　　4　4　5　＝13
6・（この「明るさ」を地に撒くの、　　（2　5　5　＝12
7・みんなが　お仕事できるよう。）　　　4　4　5）＝13

　　日の光③
8・一人はさもさも嬉しそう。　　　　　4　4　5　＝13
9・（わたしは　お花を　さかせるの　　（4　4　5　＝13
10・世界をたのしくするために。）　　　4　4　5）＝13

　　日の光④
11・一人はやさしく、おとなしく、　　　4　4　5　＝13
12・（わたしは清いたましいの、　　　　（4　3　5　＝12
13・のぼる反り橋かけるのよ。）　　　　3　4　5）＝12

　　日の光⑤
14・残った一人はさみしそう。　　　　　4　4　5　＝13
15・（私は「影」をつくるため、　　　　（4　3　5　＝12
16・やっぱり　一しょに　まいります。）4　3　5）＝12

　16行で「成果4」を⑤でその「状況の移り3」を表しています。やはり太陽は地球に「風」「明るさ」「光と気温」「虹」「影」いろいろ働きかけています。

＊金子みすゞ―本名金子テルは山口県長門市に明治36年1903年4月11日に長女として生まれ、宮本幸太郎の長男啓喜と結婚。長女ふさえを出産、昭和5年1930年3

月10日26歳の若さで自殺しました。

9・「7　3」のバランスとリズム　1日の昼夜の
　　活動と休憩　睡眠中のノンレムとレムに

1日24時間のバランス　人間の概日リズム ¦大まかなリ
ズム－サーカディアンリズム¦ は地球の自転1日を毎日
繰り返しています。それぞれのバランスとリズムを見て
みます。

日中と夜　「日中と夜の睡眠」は16.8H対7.2Hで約「7
対3」です。例えば、夜午後10時に就寝して朝6時に起
きるとすると8時間です。が、すぐに眠りにつくわけで
なく8時間は寝床に包まっている時間で実質7時間半ほ
どの睡眠なのでしょう。

肉体労働では　昼間の労働と休憩の時間を見てみると、
朝作業準備に15分AM9時から90分活動してAM10時
から30分休憩があり、12時までの90分活動します。昼
休み60分でPM1時からPM3時の120分まで活動して30
分休憩後PM5時までの90分活動し、片付け15分して昼
間の活動を終えます。それぞれ合計しますと作業360分、
休憩と準備片付け150分で、約「労働対休憩－7対3」
の割合です。

睡眠の時間リズム　また、睡眠のリズムは浅い眠りと深
い眠りが交互に繰り返します。この交互の切り替えで3
時間、4.5時間、6時間、7.5時間がおおよそです。因み
にナポレオンは3時間睡眠と言われていますが、これが

郵 便 は が き

料金受取人払郵便

新宿局承認

2523

差出有効期間
2025年3月
31日まで
（切手不要）

160-8791

141

東京都新宿区新宿1－10－1

(株)文芸社

愛読者カード係 行

ふりがな お名前		明治　大正 昭和　平成		年生　歳
ふりがな ご住所	□□□-□□□□			性別 男・女
お電話 番　号	（書籍ご注文の際に必要です）	ご職業		
E-mail				

ご購読雑誌（複数可）	ご購読新聞
	新聞

最近読んでおもしろかった本や今後、とりあげてほしいテーマをお教えください。

ご自分の研究成果や経験、お考え等を出版してみたいというお気持ちはありますか。

ある　　　ない　　　内容・テーマ（　　　　　　　　　　　　　　　　　　）

現在完成した作品をお持ちですか。

ある　　　ない　　　ジャンル・原稿量（　　　　　　　　　　　　　　　　）

書　名	

| お買上
書　店 | 都道
府県 | 市区
郡 | 書店名
ご購入日 | | | 書店
年　　　月　　　日 |

本書をどこでお知りになりましたか?
　1.書店店頭　2.知人にすすめられて　3.インターネット(サイト名　　　　　　)
　4.DMハガキ　5.広告、記事を見て(新聞、雑誌名　　　　　　　　　　　　)

上の質問に関連して、ご購入の決め手となったのは?
　1.タイトル　2.著者　3.内容　4.カバーデザイン　5.帯
　その他ご自由にお書きください。
　(　　　　　　　　　　　　　　　　　　　　　　　　　　　　　)

本書についてのご意見、ご感想をお聞かせください。
①内容について

②カバー、タイトル、帯について

弊社Webサイトからもご意見、ご感想をお寄せいただけます。

ご協力ありがとうございました。
※お寄せいただいたご意見、ご感想は新聞広告等で匿名にて使わせていただくことがあります。
※お客様の個人情報は、小社からの連絡のみに使用します。社外に提供することは一切ありません。

■書籍のご注文は、お近くの書店または、ブックサービス(☎0120-29-9625)
　セブンネットショッピング(http://7net.omni7.jp/)にお申し込み下さい。

事実なら睡眠不足。脳を休ませる浅い眠りは騎馬隊移動時愛馬マレンコの背上でうたた寝して補ったとしても肉体の内臓を休ませる深い眠りは補えません。ナポレオンは内臓などよほど強かったのか？　とナポレオンの肖像画を見ると癖なのかいつも懐に掌が入っていて腹や胃付近に当てています。一説には生きているか心臓に手を当てて確認しているのではないか？　短時間睡眠なので痛い部分に手を当てているのではないか？　睡眠時間からすると内臓に負担がかかって痛かったのかもしれません。

睡眠のノンレムとレム　睡眠の深い浅い割合のノンレム睡眠レム睡眠を見てみるとやはりそこにも「7対3」の割合がありました。

公転自転のリズム　公転自転の地球の真のリズムには時間とのズレがありますが、日中と夜の睡眠、作業と休憩、睡眠のノン、レムの割合には地球リズムの「7対3」の割合がありました。又、他にも人には多くのリズムがあります。基本歩くテンポリズムについてあとで検証していきます。

10・「足る10」の中身「7と3」のバランス

「知識と知恵」の中身　習得した「足る」の内容を知識と知恵で分析すると、知識を得たことで「足る10」と知識から知恵を得て初めて「足る10」の捉え方があります。知識は外から教えられて蓄えられるもの、本や学校教育教材からや習い事等社会から様々です。対して知恵は知識から学んだことを元に考えその先を摑むことにあります。知識だけで「足る10」ではその先の知恵は出てきません。しかし、知識がなければ「0」ですから先ず、知識を得て知恵を出す「足る10」にすることです。その捉え方は「知識の継続をもって知恵を働かせる－知識7知恵3」で「足る10」になるのです。

「腹八分」の中身　腹が一杯「10」ですと残りがなく「0」です。「腹八分」は食べ過ぎに注意からですが、残り二分では少ないようです。腹八分の残り二分の「2」は分解して「1」に戻ります。であれば少ない二分より三分が好いようです。この三分の働きは何かの成果を生みます。つまり、血の巡りになる頭の働きに繋がります。これからは腹七分にすれば「足る10」が充実します。「腹7分と血の巡り頭3で足る10」を。

「コップ」の中身　コップに水を目一杯入れると簡単には動かせません。水がこぼれるからです。動かせるコップの中身をどのくらいにするとこぼれることなく目的を

果たされるかで初めて「足る10」になる量です。口に持っていくだけなら中身九～八割も可能ですが、歩いて運ぶには慎重になり時間が掛かります。と云って六割ほどでは物足りなさを感じます。中をとって七割ほどではどうか。実際、グラスに水を入れ運んだところ「量にも、運ぶにも」「満足とこぼれない」「足る10」が得られました。「中身7分で移動3分」のバランスにすればよい「足る10」になります。

「満足」の中身　「足る10」の満足度は「少し余裕ある満足」と「少しも余裕のない満足」があります。その違いは「これから先」と「これっきり」にあります。多分これは「人間にしかない足る10」なのかもしれません。進歩発展は「動かす3」にあるようです。

第二章
万物「1」は「735」で意味付けられる

「735」は子供の年のお祝いに万物「1」に・「7」－持続
継続する・「3」－動かし方向を定める・「5」－そのバラ
ンスがあり、食物連鎖弱肉強食の生態系形に食物生産輸
出入の交易に各物体生物の形態にもあります。これを
「手本」としてこれからに役立てればと思います。

11・「生態系のバランス」食物連鎖　弱肉強食その異変

食物連鎖のバランスは多数「継続」から少数「動かす」
に生態系の礎は数の多いものから少ないものへの食物連鎖で形成され各種科目の維持存続のバランスが「735」にあります。「多数弱の維持存続と少数強の調節」が生態系バランスを形成しています。海陸ではプランクトンやバクテリアの微生物からの循環で微生物を食する魚介類などが排泄した栄養分が小生物や草植物を育て、また、それを食する肉食動物の「食物連鎖の循環」「5の3」です。

多数と少数のバランス異変　動物が植物を食するとは限らず食虫植物等様々ですが、食あっての生態系形成です。でも、食に足りればそれ以上無駄に殺さないのが生態系形成の礎になっています。しかし、近年このバランスに異変が起きています。ライオンやトラ等の数が減少し始めているのです。肉食動物は草食動物の内臓に残った草の栄養分を摂取するのですが、その内臓の栄養分が農薬で汚染されていて食した動物が命を落としているのです。これに伴い天敵の少なくなった弱の草食動物が山里内に留まり作物を食べ増え続ける「悪循環」が起きているのです。人間の開墾と農薬使用が災いしバランスを崩しているのです。

＊生態系形成「735」の礎の異変。

12・ 生態系同様食の「国産７国外産３」が「国力を活気５」付けます

食事情から　食の国内生産と輸入のバランスは現状３対７の比率で自給率は37％以下（2018年）です。海からの漁獲は昭和40年代までは捕鯨国（昭和61年から捕鯨禁止）で魚介類の多くを賄っていました。農産物では昭和60年代の米は政府の輸出入許可制もあってほぼ自国産100％、当時の食料自給率は海に陸に伝統ある漁獲農耕は70％以上で生態系に環境にも好い影響を及ぼしていました。食物の現状割合を昭和60年代の70％に戻すべきです。交易輸送が多くなると地球環境を悪くします。＊食は生態系形成同様「自国産と国外産」「持続７と動の３」で「国力」「５」を付けます。

食は国の要　生態系への関連　昭和60年代までわが国の漁業農業の専従者達は海陸の生態系形成の一端を共に担ってきたのです。しかし、ヘイステイ経済で国外の漁獲の乱獲が海の資源を乏しくし又、我が国の政策で休耕田が増えています。海の資源を守る我が国が漁法の「手本」「５」で先頭に立ち、国内農業では休耕田復活に力を入れなければなりません。最近の乱れた世界情勢からも各国は食の要に注視せねばなりません。今こそ、気候風土の関係で生産できないものや資源の乏しい産物以外の自国生産可能な生産物は国内に転換すべき時期に来てい

ます。

＊食の国内生産は環境をも取り戻す「生態系5にも好い影響5を及ぼす3」のです。

水産庁資料から　水産白書によると水産物の他地域からの輸入額は全世界の半分で自給率の不足分は輸入です。日本に輸出する東南アジア諸国はトロール船の漁法です。漁獲可能量制度は国連海洋法条約に基き、上限を厳しくして持続可能な管理漁業で海資源の保存を目指しています。しかし、外貨獲得のため海底の魚介類や小魚も根こそぎ乱獲された海はやせ細り続け、規制が緩く取り締まりも見逃されているので成長する小魚は減少し始めています。また、規制が厳しくなれば規制の緩いところへ漁を求めるそのしわ寄せが海に起きています。

休耕田政策　陸では農業が60年代の就業人口1,454万人から平成07年312万人で2割に減り、耕作面積465万ヘクタールから426万ヘクタール、39万ヘクタールが休耕中です。耕作が生態系に大きくかかわることからも休耕田を再活用しなければいけません。しかし活用したくても今の制度を変えなければ、それが叶いません。後継者の少なくなった地域では地主以外でも、その土地を耕作出来るように最近やっと政府が検討し始めました。消費者の米離れを解消するための米の使用範囲を広げる必要があり今、少しずつ休耕地が耕され始めているのです。

ヘイステイ経済で環境破壊　現状、各国の産業生産が潤

うと分かるとマングローブ湿地帯など二酸化炭素を吸収する自然豊かな土地を開墾して自然環境を悪化させているのが現状のヘイステイ経済です。世界各国を狂わせ勝ち組負け組が出始め、その結果勝ち組が勝ち続けるため臥薪嘗胆戦争が過去起きました。交易国相手を非難することより自国を見直すことで海の資源を守る漁獲法を率先し、陸では休耕田畑を復活させるなどで海陸にあるべき自然を取り戻すことです。地球温暖化の影響でコメ同様リンゴの栽培地が北上しています。地球温暖化で栽培地や品種、栽培方法の変更は急務です。

交易　世界各国が平和な時の交易は好循環します。今の世界情勢から各国の伝統ある産業を復活させておきたいものです。資源の少ない日本こそ産業分野をはじめ世界をリードする立場で国力に活気をつける時です。

市民レベルの消費者　国力を高める食事情では私たちが選択出来得る立場の消費者です。市民レベルで自国生産を見直せば「自国7　交易3」は早く正常化し、輸送燃料削減で温暖化対策にも寄与出来るのです。

13・車体は「縦７継続と幅３動く方向の形状５」 バランスから

動く車体の形状　車体の形状は風圧等の抵抗を軽減する流線形です。地上を走る最初の新幹線の先端は飛行機の球体形を取り入れました。その流線形を成す球体は表面積が立体の中で最少で外圧等の風圧を少なくすることが出来、動く車体の先端部に適しています。

球体の構成は三角錐　球体を構成している内部を見ると立体で最小面の三角錐であることが分かります。ミカンで例えると横から半分に切った断面円の各房はおおよそ三角形の連続です。大きさ直径4cm10粒のミカンとすると、面積は πr^2 で $3.14 \times 22 = 12.56cm^2$ となり、1房の三角形の面積は、高さ×底辺÷2で $2.0cm \times 3.14 \times 4cm \times 1/10 \div 2 = 1.256cm^2$ となります。同様、球体も $4/3 \times \pi r^2$ で $4/3 \times 3.14 \times 4cm^3 = 16.75cm^3$ です。
「球体1は三角錐の集まり3で表面積最小の構成4」だと分かります。

車全体が半楕円形球体　米国などに見られる半楕円球体のカブト虫形車は観測用に使われています。竜巻等の観測用に使われていて、あらゆる角度の外圧に対応出来ます。では、次に一般自動車の縦の長さと横幅の比率から速度に伴う風圧バランスを分析してみます。

車体の縦「継続7」横「方向3」安定バランス　先ず、

クラウンでは縦の長さ4.37m横幅1.7mでその割合は約
7.7：3.0。スピードを想定したやや縦長の比率になりま
す。セドリックでは長さ4.41m幅1.68mで割合は7.87：
3.0です。また、カブト虫フォルクスワーゲンは長さ
4.07m幅1.54mその割合は7.92：3.0。どれも約「7対3」
でやや縦長ですがコーナーカーブも考慮に入れてのバラ
ンスのようです。加速を増すごとに縦長に変形させれば
理想的な安定バランスを得られるでしょう。

ダンゴムシやカニの縦横長さから　ワーゲンの形に似て
いるダンゴムシは半楕円形球体で縦と幅の比率を調べる
ため捕獲しました。丸まってしまうのでその状態から検
証すると丸まったダンゴムシの直径3mmで円周は$2\pi r$
$= 2 \times 3.14 \times 3 \times 1/2 = 9.42$。丸くなるための蛇腹部分が
3割弱（2.7）増すとして、歩く時の縦長さが$9.42 - 9.42$
$\times 0.27 = 6.8766$で約「7」となり、幅3mmのダンゴムシ
は進行方向に対して「長さ7幅3」のバランスがあり、
カニの横ばいにも進む方向の継続7と方向を変える3の
バランスがあります。

　自然界の生物バランスは生き方で多少の違いがあるの
でしょうが、昆虫はじめ動く生き物や車体等色々なもの
に安定移動するバランスがありました。

子供の成長を祝う「753」「継続と成長の発育」

飛行機と新幹線の形　飛行機の先頭部は空気抵抗360°
半球形（操縦室部分を除いて）ですが東北新幹線や上越

新幹線のようにレールと車輪の摩擦力で風圧を味方につけた形になっています。動くための理想的な立体形の縦横は「73」のバランスで成果の「流線形5」をなしていました。

14・用紙サイズ長手短手「75」の割合

			長手	短手
A判	A－0サイズ	1189mm	841mm（全判）	＊1189×.7＝832.3	1189×.5＝594.5
	A－1サイズ	841mm	594mm	588.7	420.5
	A－2サイズ	594mm	420mm	415.8	297
	A－3サイズ	420mm	297mm	294	210
	A－4サイズ	297mm	210mm	207.9	
B判	B－0サイズ	1456mm	1030mm（全判）	＊1456×.7＝10192	1456×.5＝728
	B－1サイズ	1030mm	728mm	728	515
	B－2サイズ	728mm	515mm	509.6	364
	B－3サイズ	515mm	364mm	360.5	257.5
	B－4サイズ	364mm	257mm	254.8	182
	B－5サイズ	257mm	182mm	179.9	

　以上から用紙の縦横サイズに7割がありました。このサイズで本を制作するので大方二種類のＡサイズＢサイズがあることが分かります。本の多くは大方二種類です。

　知るところではこのサイズは日本特有の和紙の大きさで世界の用紙と共通するサイズを探したところドイツの用紙とほぼ同じであったことからこのサイズを共通の大きさとしたそうです。因みに建築確認書類の表紙の大きさはＢ－5サイズからＡ－4サイズの大きさに変更されました。役所での用紙もこれらのサイズです。

第三章
生物の「本能」は
「地球の慣性リズム」
「5」から

　地球環境での生物は地球リズムで生きています。地球は太陽系惑星で公転と自転の慣性を繰り返し生物本能もそのリズムで生かされます。「数」から考察してみます。

15・地球の慣性　形大きさ　公転自転リズムからの本能「5」

地球の傾き　太陽系宇宙の地球の慣性は北極を真上から見て自転の傾きが23.26°あります。一年通して北半球と南半球に公転半周ごとに夏期冬期や白夜と極夜の現象で分かります。また、この傾きは月によるものであろうとされていて干満潮リズム「5」も月からです。

公転自転　公転は一回太陽の周りをまわると元に戻って「一年」。自転は一周して元に戻り「一日」。これを繰り返しています。

　公転の「一年は365日」と自転の「一日24時間」としていますが4年に一度のうるう年366日があり一年が365日5時間49、、、分なのでこれから計算するとうるう年は6時間11分長いのです。そこで人間が決めたのは

　1・うるう年は西暦を4で割り切れる年とする。

　2・ただし、年が100で割り切れる年とし、

　3・また、400で割り切れる年をうるう年とする。です。

　このことからも分かるように不確定故に、周期「1年が何日か」、また、自転「1日が何時間か」ピタリと決まらず人間生活に合わせようとしているのです。また、色々な暦があり太陽暦と太陰暦この二つを合わせた太陰太陽暦があり太陽暦（365.242日）は地球の公転周期（グレゴリオ暦）太陰暦（29.531日）は月の満ち欠け周

62

期に基づく（イスラム暦）太陰太陽暦は中国の宣明暦（日本の旧暦）です。色々の暦がありますがこれらもピタリとした数ではありません。よって地球上の生活ゆえ地球リズムの本能で過ごすことが好ましく地球環境に合わせた生き方が良いようです。

1秒の変動　本能リズムに対して時間は1967年より原子時計を使った定義に変わり、宇宙誕生とされる約138億年前から計っても1秒未満しかずれない脅威的な正確さが得られるようになりました。しかし、地球が一回転する、その8万6400分の1を1秒としていましたが「自転の速度「5」が潮の満ち引きによる潮汐摩擦などで微妙に変動する「3」ことが分かってきたので国際組織の会議「国際度量衡総会」で廃止になりました。

地球の形大きさ　地球は球体ですが、地球の形は16世紀「地動説」を唱えたコペルニクス（ポーランド）やアメリカ大陸を発見したコロンブス（イタリア）によって立証されました。それまでは「天動説」で地球は平で地球を中心に天が動いていると思われていました。しかし、古代ギリシャのエラトステネスは地球が丸く全周が4万6千km（現状約4万3キロ）だと、二つの町から仰ぐ夏至の太陽の角度の差からはじいた記録があるそうです。地球の形が分かって、500年弱です。しかし、我々が知る地球の形は人工衛星からの映像しか見たことがありません。そこで地球の形・大きさを見てみますと。

　地球の体積は約 1,381,046Km^3 表面積は約 6 億 km^2 弱、海と陸は凸凹で直径は約 13,819km（赤道部）から 12,739km であるとされています。

　（・球の体積は 4/3 × π r3 乗　・球の表面積は 4 π r2 乗　・円の周長は 2 π r　・円の面積は π r2 乗　π = 3.1415926535…）π の値と歪んだ球の半径 r は不確定で正確に求めることが出来ません。自転公転も時間で決められずその形・大きさも歪んでいて定まらない地球は、そのリズムで生物が生きることが環境に優しくなるのです。そうであるなら本能を蘇らせることではないでしょうか。地球リズムの本能からの行動で地球環境を守りたいのです。

地球リズム本能　生物が地球を感じるのは公転自転のリズム「5」からでそこに本能「5」が蘇ります。

16・「地球リズムの本能は生物多様性」「555」の生態系「1」

本能は地球リズムから　数「734」のテンポリズムで触れたように生物の本能は地球リズムからです。地球リズムで生活していた狩猟農耕民は日中活動し、日没と共に活動を終える春夏秋冬通した毎日です。同様、狩猟農耕の対象となる動植物もそれに合わせた生命育成から「民が得られる成果4」になるのです。地球リズムからの「本能を生かした」「狩猟農耕の生活」「5」「5」があって「生物多様性」の「生態系が形成」「5」「5」されるのです。

薄れた本能　生物生命で一番大切な本能は護身です。弱が強に多くを食われないように「五感（視覚、聴覚、嗅覚、味覚、触覚）」「5」を働かせます。同様人間も五感を働かせた狩猟農耕の時代には天候に左右されながら獲物や作物を得る生活でした。今、狩猟農耕の地べたの作業から離れ工業やIT産業に身を置く人が増え、最近では護身本能が薄れてきたようです。人口減少となった地方の民が毎年の神事で行われる歳旦祭を始め祭りなどの行事で地域住人達の団結と方向性を高めようとしています。地域活性化を目指すことは「生態系にも関わるので地元に戻って地球リズムの本能」「55」を再認識して欲しいのです。

宇宙に誕生した地球の生物　地球の最初の生物はどこから来たのか？　生物誕生の根拠を探しに火星と木星のあいだに分布する歪形のイトカワやリュウグウ、ベンヌ等の岩石や金属からなる化石と言われる惑星を調べています。太陽系生物誕生のなぞに迫るために「はやぶさ2号」が探査し他にも小惑星数十が対象になっています。「宇宙生物誕生」から「地球生命誕生」「55」が分かるかも知れません。生物本能のリズムを「はやぶさ2号」で探査中。

地球自転速度　表面速度は赤道直下で約時速1,791.6km。でも地球で生活出来るのは各惑星を始めとした宇宙空間の物体には引力がありそれに沿ったリズムが命を守るのです。

17・テンポある「3」リズム「5」で継続「7」歩行と呼吸

歩行と呼吸のテンポリズム　第14項目で地球リズムで触れたように人間の歩行と呼吸のテンポリズムについて分析します。歩行は足から脳を刺激する全身運動で血液を循環させ必要量の酸素を体内に送り込みます。呼吸は唯一コントロール出来る自律神経です。精神統一は呼吸からで、息を吐き副交感神経を、吸って交感神経を刺激し規則正しく続けてリズムを整えます。歩行時これを意識して「テンポある3」を高めて「リズム5」を作ります。

「奇数の利き足」と「偶数の逆足」階段のリズム　階段の上り下りでリズムを意識させられたことがあるでしょうか。住宅の階段で分析すると普通二階建て木造住宅の直通階段は13段が多く奇数です。何故なら、利き足から段に乗り利き足で平らな床に着き、最後に逆足で到達します。途中踊り場がある場合は、奇数＋奇数の偶数です。上下段に足は「利き足から始まり、利き足で終わる」「3、3」そして「逆足で到達4」します。

　昔、オペラ劇場で歌手が歌いながら曲線階段を下りてきて、最後の床で「こけた」ことがあり、段数を数えたら偶数でした。それはリズムが狂った結果のアクシデントだったのでしょう。「リズム」が「狂う」と「事故」

「5」「3」「5」を起こします。もし、皆さんの住宅の直通階段が偶数でしたら上がり下りに御注意下さい。

団体競技のリズム　観客席にいてこのテンポリズムはよく経験させられます。例えば、野球にみられるピッチャーの投球「テンポが良い」と「リズム」「3」「5」が生まれチームを勝利に導きます。たとえ打たれてもそのリズムがあれば守備陣の集中力が増しミスが少なくなります。また、観客にも伝わり応援に力が入ります。相手チームも「これに気付き間」「35」をとり、リズムを取り戻そうとします。

「テンポ良い」「リズム」「3」「5」で「歩く」「3」意識を高めて、息を吸って、吸って、吐いてで「持続継続」「7」してリズムで疲れを軽減させます。

18・人二足歩と馬四足歩　足裏の形とリズム「5」（図解）

不安定「3」　足裏図で説明すると、二足歩の足裏が床に着く面を見ると①（足裏図Ａ）踵１点と②（足裏図Ａ－Ｂ）小指の付け根までの側線、（足裏図Ｂ－Ｃ）小指の付け根から親指付け根（やや土踏まず状）の線、（足裏Ｃ－Ａ）と各指付け根の線が浮き上がり（足裏図Ａ－Ｂ1－Ｃ1）瞬間大きな外側の三角形になります。この二つの三角形は床に着地した時に順次働きます。この間に、③（足裏図Ｂ－Ｂ1－Ｃ1－Ｃ）各指とその付け根で成す四角（安定）形があり、そこは反対側の足を地面から浮かせ不安定時に働き、各指で微妙にバランスをとります。そこは足裏で一番安定した部分で蹴る瞬間親指を軸に（足裏図Ｃ－Ｃ1－Ｂ1から各指へ流れ）三角の形から一点Ｃ1に流れます。人の足裏と馬の足裏から判断すると「人の片足３点両足の計６点」で「四足歩の片側３点両側の計６点」で同じ動の「リズム５」であることが分かりました。

安定「4」　また、静止した時二足歩人の足は両足を揃えた「気を付け」の状態は左右の三角形が二つで（足裏図Ａ－Ｂ－Ｃの左右）四角形になり、かつ土踏まずの無線で完全な四角形を造ります。少し前かがみになっても指でなす四角形の左右がその姿勢を安定させます。また、

「休め」は股を広げて見えない線の大きな四角形を作ります。ここでも土踏まずに線がないことで静の安定形が増します。馬の四本脚は静止している時は四点で地面を捕らえ四角形を成し静止し安定しています。つまり、「人の二足歩も馬の四足歩も安定静止でも同じ四角形4点」であることが解ります。

　因みに、馬の一脚一点は指五本の中指を他四本が支えていて一点着地で速く走るための進化した蹄一点です。

人と馬のリズム　歩くリズムは二足歩人と四足歩馬を足裏から分析すると、二足歩の各足裏は三角形の三点の「移動3」で前に進み、四足歩は三足（点）から「動き3」を起こして進む、同じ形であることが分かりました。

70

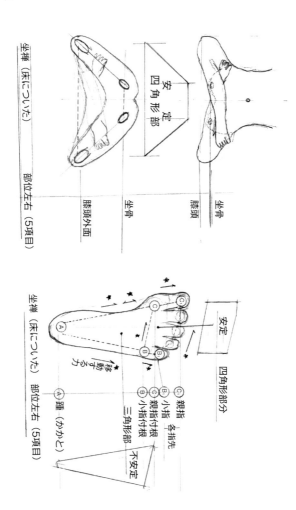

坐禅（床についた）── 部位左右（5項目）

安定
四角形部

膝頭外面
坐骨
坐骨
膝頭

坐禅（床についた）── 部位左右（5項目）

安定
四角形部分

不安定
三角形部

移動する力

Ⓒ 親指
Ⓒ 小指　各指先
Ⓒ 親指付根
Ⓑ 小指付根
Ⓐ 踵（かかと）

第四章
「やりっぱなしの成果」「4」

　成果は循環出来ることが基本ですが、その中の成果には地球に戻らないものが多くあります。循環しない成果ですと地球に溜まる一方で中には環境を悪化させることもあります。昨今二酸化炭素が温暖化を招き地球生物は状況の変化に悲鳴をあげています。循環しない成果を人間は改めて地球に戻す本来のかたちに戻さなければいけません。

19・環境悪化は産業革命以後の「やりっぱなしの成果」から

産業革命以後の成果　地球環境悪化は経済優先の産業革命以降の成果を使い続けてきた結果です。それは初期段階に大量使用したことにあります。その中の一つには循環しない石油製品があります。使用した後のゴミになったプラスチック製品は地球に溜まる一方で石油製品の「プラごみ」は最近鯨の胃から大量に発見されました。そのことからも如何に多くのプラごみが海に溜まっているかが分かります。循環しない成果を最初の段階で大量使用し様子見しなかったからです。例えば、名医は患者の疾患たる原因を探りながら治療します。人命のこともあって医者も疾患も共に慎重になるのですが、直ちに人命に影響ないと思われる成果は即実施されます。それは利益目的の経済優先でこれらが環境を悪化させるのです。慎重に時間をかけたうえで成果を使用すべきなのです。

「数」で整理する　成果「1」を見定める調査分析「3」で循環型「4」の状況「5」を確認し「3」循環「3　3」の好循環「3」と判断してから持続「7」させることなのです。これが悪循環「3」で地球に戻らないなら使用しないことです。「原発も然り」です。

　毎日の生活から　「やりっぱなし」の後始末は毎日の生活からです。例えば5人乗れる車で一人移動するなら、

利用可能な限り電車やバスで。レジ袋をマイバッグに替える等々先ずはやれることからです。

　日本国民が年間使う一人当たりのレジ袋は約300枚ですから行動を変えることで地球に沿った生活が始まるのです。因みにプラスチック類消費量は一位米国二位日本です。ですから削減からでも地球環境の改善に繋がるのです。

20・海と陸の人為的砂漠 失われてゆく森林その 対策

海の砂漠化 海の砂漠化は有明海の様に干潟を埋め立てることにもあり、沖縄の米軍基地建設も然りです。世界的には地球温暖化によるサンゴの白骨化で、海水温の上昇に伴い共生する褐虫藻がストレスで抜け出てしまうために起きると言われています。また、違法漁業に使用される青酸化合物など毒物や爆薬などで死滅した白骨化したサンゴが海底に瓦礫のようになって広がっています。この現象は特に東南アジアの海底が顕著です。

陸の砂漠化 陸地での砂漠化は人為的な焼き畑農業から始まり、プランテーションなどの大規模な農地への転換開拓など森林消失による二酸化炭素吸収量が減り、温暖化、異常気象などが起因するものと考えられています。

経済優先人的砂漠 海も陸も経済優先が地球環境に悪影響を及ぼしています。森林はCO_2削減に貢献しているのですが破壊などで消滅しそれが出来なくなっています。

失われてゆく森林 世界全体の87％を占めている森林は国際食糧農業機関（FAO）によると毎年600万ヘクタールの規模で伐採地が拡大しています。日本国土は約38万平方キロメートル（3800万ヘクタール）ですから日本国の約2割が全世界の陸上で消失砂漠化していてその原因は人間の活動に伴う要素が大きいと言われていま

す。昨今世界的に大規模火災が発生し山火事で森林の多くが消失し、二酸化炭素削減貢献どころか逆に増加させています。

　森林破壊の大気中に排出されるCO_2は車の排ガス等世界全体の2割（米国の排出量に匹敵し）、光合成で蓄積された炭素は樹木が燃やされ排出されます。また、そこを生息地とする生物種の5－10％が今後30年間で絶滅すると推測されています。

地球上の砂漠　年間通した降雨量は地形や地域により気象状況が様々で雨が均一に降ることはありません。今ある砂漠は人為的と思われるものも含めると、

・熱帯砂漠（海岸砂漠）寒流上は水蒸気の供給が少ないことと大気が安定している。上昇気流が起きにくいことが原因。¦アタカマ砂漠、ナミブ砂漠¦

・亜熱帯砂漠（中緯度砂漠）熱帯で生じた上昇気流が下降してくるため雲が発生しにくい亜熱帯高気圧の影響下に一年中あり、乾燥帯になることによる。
　¦サハラ砂漠、カラハリ砂漠、オーストラリア砂漠¦

・温帯砂漠（雨陰砂漠）山脈のほうから吹き込む卓越風の風下となるために下降気流地帯となるため生じる緯度35－50度に見られる。（内陸砂漠）海から遠く水蒸気の供給が少ないために生じる。
　¦①ゴビ砂漠－アフリカ、②タクラマカン砂漠－中国¦　広さ①一位②二位

　尚、日本の鳥取砂丘は砂漠で見られる地形と似ているが、ここは温帯湿潤気候下で降雨量は豊富であり、風で絶えず砂が動くため植物が生えにくいことから丘陵地です。

森林削減について　国連環境開発会議（地球サミット）は92年森林を持続的に利用するための「森林原則声明」を採択、森林に関する国際社会で初めての合意がなされました。この方策の一つに、温帯林か熱帯林か、北半球と南半球か、自然条件や社会背景が似た国や地域が世界で九つのグループを作り、そのグループごとに生物の多様性や土壌、水資源の保全などについて基準を設け、持続可能な森林経営への切り替えを目指しています。149ヶ国が、九つのグループの最低一つに参加していて、日本を含む東アジアや欧州の温帯林では森林面積が増加に転じています。しかし、南米・アマゾンや東南アジア、アフリカの熱帯林でその現象に歯止めがかかっていません。温帯林の先進国は資金もあり、有効な政策をとれるのですが、熱帯林が集中する資金に乏しい途上国では新たな森林経営をしようにも、それを実行に移せません。先進国や国際機関による援助のほか、「途上国における森林減少の防止」（REDD）が今注目されています。

砂漠を緑の繁る地域に　砂漠を緑に変えようと地表を保水させる・地表灌漑・散水・点滴等色々な手法を取り入れて砂漠緑化活動をしています。東南アジアのマレーシ

アではスズの採掘によって山林が丸裸になりましたが、04年から植樹の活動が始まり現在緑化され、パセインダ自然公園になっています。また、パンジャーブやインド各地で緑化を成功させた杉山龍丸や福岡正信は粘土団子により自然が持つ力を使った緑化で、ゴビ砂漠や襟裳岬（復元済み）の植林活動をしてきました。でも地球規模ではその緑化より砂漠化の方が残念ながら広がりが速いのです。（敬称略）

草原地で牛や羊の放牧過多　タクラマカン砂漠などはもともと草原地で牛や羊の放牧過多で、砂漠になった人為的な砂漠、10mほど砂を掘ると元の水源が出現するそうです。この地域は比較的雨量の多いところですから早くから緑化され既に開発が進み地方都市になっています。緑地帯から砂漠化した地域の復元を、二酸化炭素削減のため早い緑化が求められます。

＊世界全体の87％の森林「1」はCO₂吸収「3」で地球温暖化「4」のバランス「5」をとってきましたが、森林破壊「5」とやりっぱなし「3」の成果で悪循環「3」しています。

21・ 海と陸の生物生態系　極致氷河減少海水面上昇の温暖化

海の生物生態系　地球上に生物が誕生し、その進化と共に人類はおおよそ500万年前に誕生したと言われています。人類誕生からの生態系は各種、遺伝子などの進化退化を繰り返しながら形成されてきました。しかし今、大量の二酸化炭素やメタン排出で温暖化を招き、環境破壊を加速させ、生物生態系に悪影響を及ぼしています。我が海の生態系の領海・EEZ－排他的経済水域は世界6位の広さで3万種以上の生物がいます。その生物多様性を守るために保護区を設けるべく国際的目標があり「2020年までに海域の10％を保護区にする」と9年前に名古屋市で「愛知目標」とされました。

海の生物多様性条約締約国会議　現在17％近くが既に保護区になり2020年には24％を超える予定でした。しかし、日本での保護区は8.3％、主要国の中で対応が遅れています。また、大部分は浅い沿岸区域で、水深200m程度、それより深い沖合区域には触れていません。その沖合の深海には独特の生態系があることが分かっていて、巨大なダイオウイカや海底にはコシオリエビなどの仲間がいて固有種の生物が多く生息しています。その地形状を含め全体を保全することが生物多様性を保護することに繋がります。そうした必要性の中保護区に指定

されればその区域内は海底資源開発漁業等規制されることになり、領海に比べて排他的経済水域は管理権が限定的ですが監視や取り締まりをする必要も出てきます。異変を見逃さないためにも常に科学的に調査し生態系を常に確認することが必要です。また、小笠原諸島が保護区になれば愛知目標の10％達成になるのですが、8.3％の大部分は漁業法などで水産資源を保全するため保護区とはされず海の生物多様性を守る区域は一部に留まります。

陸の生物生態系　北海道山脈の南端にあるアポイ岳ではヒダカソウ等貴重な高山植物群落は国の特別天然記念物ですが温暖化で高山帯に異変が起きました。ハエマツの成長が早くなり年輪の間隔が1mmほど、以前は低温地帯で年輪が確認出来ないくらいでした。その早い成長で花畑だったところにハエマツが覆っています。また、世界第三位の歴史がある固有種の宝庫琵琶湖は日本最大の湖です。60種近くある多種多様な生き物ニゴロブナ、ホンモロコ、ビワコオオナマズやイサザ、水質を浄化しているセタシジミやカワニナ等々が生息しています。が、昨今の温暖化で川から流れ込む雪解け水が少なくなったため湖水の循環が滞って、見えない幕が出来養殖稚魚のニゴロブナが湖底まで潜れません。また、湖底に生息している生物に十分な酸素がいかなくなりイサザやスジエビの大量死が起き、これに加え外来種のオオクチバスやブルーギル等の魚食性の強い外来種が増え在来魚に大き

な脅威となっています。

温暖化極致氷河の減少　温暖化による極地氷河の減少が大量海水になり陸地が浸食され失われています。生物も同様、長い年月をかけて進化しその環境に適応してゆきますが、変化の速さに追いつけなくなった時その種の存続は細りいずれ絶滅するのです。海上で起きているエルニーニョやラニーニョ現象は温暖化によるもので、その異変は人類誕生以来過去にあったのでしょうか？　おそらく産業革命以後の18世紀頃からでしょう。世界交流で産業が活発になり二酸化炭素大量排出を無視し、地球環境は後回しの結果の気候変動で敏感な微生物や植物に影響し失われ、海や陸で生態系に異変が起き始めたのです。

ガラパゴス諸島の生態系　ダーウインの進化論で知られた世界遺産第一号のガラパゴス諸島は生態系を守るため人からの影響を少なくしてきたのですが、昨今それが狂いはじめ、一部地域を保護しても叶わぬ地球全体に起きているのです。

＊「すべて地球に生かされている生態系」「1」は関わる「3」人間の認識「4」の在り方「5」次第で持続継続「7」の是非が決まるのです。

22・自然再生エネルギーと原発　第五福竜丸の核実験による被爆

自然再生エネルギー　自然再生エネルギーは「太陽の熱と空気の風」で得られたエネルギーですから循環型です。利用するのは「光熱と空気」「1」で熱の照射と風の流れ「3」からエネルギー「4」を生み出す再生可能エネルギーです。また、他にも水〈H_2O〉から水素エネルギーを作ることも再生エネルギーです。

人為的発電　自然に対して、人的発電には火力水力原子力他ありますが工事費が高くつく水力発電は全体の一割足らずで現状火力発電八割、原子力発電一割が我が国の主電力です。

八割の火力　火力発電の化石燃料は輸入に頼っています。火力発電は地球環境からも二酸化炭素排出量が多く温暖化を加速させていて世界中で問題になっています。

火力の建設計画　しかし、日本の火力発電計画は現在50基あります。温暖化の問題があるにもかかわらず現在もその計画に変更はありません。

一割の原発　原発は電機連合の政治に対する圧力や米国の技術購入の経緯また、原子力発電海外輸出に力を入れている実情からも稼働させ続けています。

　使用済み後の核燃料（放射性廃棄物）が地球に戻せずその処分が問題になっていて、これを再処理工場でプル

トニウムにして高速炉で再利用しようとしていますが、まだ目処が立っていません。MOX燃料としてプルサーマル発電での消費は16から18基必要ですが数として現在出来るのは4基しかありません。残りのプルトニウムは日本国内で10.5トンと預けた英仏に36.7トンの計47.2トン持っている現状で、その量は原爆約6千発分作れるそうです。他国ではウラン燃料使用後核爆発実験としてプルトニウムを地球に戻していて周知のように非常に危険で地域に被害が出ています。

原子爆弾 国内では1945年広島長崎に原爆投下で多くの被爆者が出ました。過去からも原爆実験は各地に被害を伴います。我が国も1954年3月1日核保有国アメリカの水爆実験が太平洋のマーシャル諸島ビキニ環礁で行われ、近くで操業していた漁船が予告など知らされないまま被爆しました。その漁船は静岡県焼津港のマグロ漁船第五福竜丸でした。遭遇した乗組員23人全員被爆、白くざらざらした雪状のサンゴの灰（死の灰）が降りかかり、半年後に無線長久保山愛吉氏が40歳の若さで亡くなりました。死による世論の高まりに日本政府は事件の決着を急ぎ、汚染されたマグロの調査打ち切り、1955年アメリカ政府の法律上の責任とは関係なく慰謝料が支払われました。船長を始め当時20代だった乗組員の14人が肝臓障害で人生半ば（2021年3月までに）で亡くなっています。

政府の行政の在り方　こうした経緯を表に出したくない政府外交間の姿勢や、経済優先で頼る原発を中途半端に推し進めた、否推し進めている現状反省などなくその罪は大きいのです。今太陽光や風力発電等自然再生エネルギーで電力不足を補い始めているのですが、先進国では後れを取っています。理由は、開発当初から技術力があるにもかかわらず政府が原発に力を入れていたその入れ方に問題があるのです。いつまで政府が原子力発電に目を向けているのか。これも経済優先からなのでしょう。

「数」で整理　原発は、初期からエネルギーの求め方に間違いがあり現状原発の収拾がつかない「散らかしっぱなし」なのでしょう。将来を目指さない国策は国力を弱体化しダメにします。＊「放射性廃棄物」「1」は「循環しない」「3」「地球の汚染物」「4」現状「溜まり続ける」「7」のでこの先不安が残るだけです。

＊第五福竜丸の履歴　元三崎港カツオ漁船第七事代丸から焼津に来て名前を改めた第五福竜丸は事件の14年後日本の文部省（現・文部科学省）に買い上げられ東京水産大学（現・東京海洋大学）の練習船「はやぶさ丸」となって使われ、老朽化が進み廃船処分が決まった。その翌年の春になると、その後の船の消息が報道され、船は解体業者に払い下げられ、エンジンを抜き取られて東京湾のゴミ処理場「夢の島」に放置されていた。このまま「沈めてよいのか第五福竜丸」と朝日新聞に投書した26

歳の会社員（武藤宏一さん）の掲載を見た元乗組員の二人が夢の島に行きみじめになった船に乗り込んだ。この投書が反響を呼び地元江東区や市民や労働組合を中心に幅広い層を巻き込んで保存運動が始まり募金活動から債権者から買い取り1970年東京都に寄贈、「夢の島公園」に1976年開館展示し現在に至る。

自然エネルギー財団　「シニア世代も闘っている」孫正義が原発事故を踏まえて設立したシンクタンク「自然エネルギー財団」

23・化学物質農薬とカプセル肥料

農薬の生物への影響　化学物質は「濃度何ppmであるから直接人間の健康に影響ない」と安心させられます。しかし、化学物質は生態系の食物連鎖を辿れば人間に影響が出ないはずはないのです。農薬の使用は生物に悪影響を及ぼしていて周知の通り害虫駆除で人間に実害ない程度を農産相が認めています。又、近年のカプセル肥料は容器のプラスチックが空気中で自然分解するはずでしたが土壌に埋まるとそのままプラスチックゴミとして残ります。これらの汚染物質は小生物やそれを食する野鳥類に影響が出て結局人間に戻るのです。

畑の肥料　昔の肥料は人糞でした。今のような水洗でなくボットン便所いわゆる便器の下に汚物を溜め込みそこから定期的に汲み出され、畑近くに造られた肥溜めで腐らせた後肥料として撒いていました。衛生面では細菌による疾病は少なくなったのは事実ですが、「人糞肥料」「1」は「循環」「3」で「循環型」「4」で「地球に優しい」「5」に対して「微量な農薬」「1」でも「増え続け」「3」れば「不循環型」「4」となり「地球汚染」「5」となります。

田んぼの生態系への影響　また、スズメ等の生物に害を及ぼし生態系にも悪影響が出てしまいました。スズメ被害には田んぼに案山子を立て稲作を守るナチュラルな行

為でした。昭和60年代頃でしたか稲に飛び交うスズメ
は益鳥か害鳥かと胃の中を調べたところ稲穂の実もあり
ましたが害虫を多く食べていることが分かりどちらかと
言うと益鳥だと判定されました。少量でも稲穂に散布さ
れれば害虫を食するスズメにも人間にまで害を及びます。
農薬で全てを収穫しようとせずスズメにも分けることが
共生共存の自然界の掟なのです。

田畑の害虫駆除法　農薬を使わないで害虫駆除の方法と
してアヒルを田んぼに放ち、食物連鎖で作物を育てます。
アヒルは水中の害虫生物や雑草などを食し排泄した糞で
稲に栄養を与える循環型です。畑で使う肥料はカプセル
肥料でなく丁寧に土と作物を見ながらの育て方が好いの
でしょう。

＊田畑の自然相手の作物「1」は育てる「3」食物「4」
ですから、食物連鎖「5」からも循環し「3」生態系
「5」を継続「7」させます。そして食物連鎖「5」からも
「全てを収穫」しない「3」成果「4」にすれば好環境
「5」が継続「7」します。

　また、生態系を担う佐渡島を中心として生息していた
朱鷺が絶滅してしまいました。原因は地べたの農耕を放
置したこと、農薬による田んぼに生息していたどじょう
カエルなどの死滅で餌が減少したことです。そして羽根
をとるため朱鷺捕獲という人間の欲から、その種を維持
する最小数「7」を下回ったのです。絶滅した朱鷺のそ

の後の対策として、中国からの朱鷺を育て産卵させて増やしています。生態系を持続するには旧来の生活を人間が続ければいいのです。

＊「生態系」「5」は「一定の数を維持継続「7」しなければ種の状況「5」を「保つことが出来ない」「3」のです。

第五章
成果の過去とこれからの成果「4」
その違い

　地球上で起きる問題点は人間に課せられていて世界人口が増え続ける現状如何にしたら世界の民が生きながらえるかが課せられています。温暖化、汚染、生物多様性、食糧難等全てが地球環境に起因します。

24・太陽光パネルと風車の設置場所と方法

自然災害　自然再生エネルギーがこれからの主力となる
なか自然相手の気候が問題になります。太陽光のパネル
や風車はどういう設置方法にしたら好ましいのでしょう
か。

　自然災害で壊れる自然再生危機を回避出来る成果を求
めてみます。

適切な設置場所　太陽光パネルは各企業他が大規模工事
を実行していて一か所に集約です。しかし、自然災害を
受けた場合極所集中だとすべての機器機能が破損停止し
ます。また風車でも強風による羽根を支える柱が折れた
ものが多くあります。では、如何にしたら自然災害を最
小に抑えられるかが本来の成果になります。

　集約施工は企業にとって効率的で施工費も節約出来ま
すが、これからの異常気象による災害は復旧に多額の費
用がかかり得策ではないと思われます。むしろ分散施工
が賢明です。各地域に分散させ各戸の屋根に設置するの
が賢明でしょう。また、風車も同様で風力が得られると
いって一極集中は被害を大きくします。

設置方法　構造的には多く光を受ける広面積のため強い
風雨を受けます。それを解決する方法として、素材を柔
軟なものにして普段は大きく広げ、災害時には地図など
に利用されている三浦折りを活用しセンサーを働かせ災

害からパネルを守ります。このような災害回避が出来る
ようになれば一極集中でもよいのです。風力も同様で、
異常気象の強風時は風車の羽根を畳むことです。駆逐艦
に載せるヘリコプターのように羽根を束ねるやり方をま
ねることです。その軸にセンサーを取り付け強風時には
折りたたみ、強風が去った時広げる方法です。これが、
自然災害「1」から回避する「3」成果「4」です。

25・二酸化炭素再利用のCCS法

CCS法　白亜紀には二酸化炭素は地球上に曼延していました。その時期に生物が炭化水素や炭酸石灰に形を変えて海底に堆積され、大気のバランスをとることになったわけです。このことから考えられる方法は、発電所など主に石炭火力発電から出る排気ガスを地中内に蓄えるCCS法で「二酸化炭素を回収し貯留」することです。具体的にはあらかじめ酸素に含まれるCO_2以外の窒素などを取り除き燃焼させた後の二酸化炭素を取り出して、地中岩盤層下に閉じ込めておきます。日本では二酸化炭素削減対策で二酸化炭素の海底下地中貯留に公益企業や電力関連企業が商業ベースで乗り出しています。

自然発生した二酸化炭素　しかし、万が一地上に漏れた時は地上の生物は死滅します。過去にも自然発生で多くの動物達が地下からのCO_2で命を奪われています。こうした成果も地球温暖化で急がなければならない策なのでしょうが、地震等自然災害の多い国では将来が心配されます。二酸化炭素以外の取り除かれた窒素等含め、その影響を様子見しながらにして欲しいものです。＊「危険を伴うCCS法」「1」は「慎重に」「3」…

リサイクルの天然ガス　この方法での吉報として層が元石油埋蔵地帯であれば尚のことバクテリアを混入することで天然ガスが生み出されることが分かったそうで真に

リサイクルになります。これが上手く安全に循環すれば温暖化対策の成果が見えてきそうです。

＊「大きな成果」「4」ほど「慎重に時間をかける様子見」「5」で…

化学式から 最近CCS法で小型容器で二酸化炭素回収分解リサイクル可能な機械が出来たようです。他方、先の水素燃料とは別に、化学式で直接的に、CO_2は単純にCOの一酸化炭素とOの酸素、あるいはCの炭素とO_2の二酸素。つまり物を燃やして炭化したものから出る酸素が化した気体。これに何かを結合して光合成と同様に海底に貯めこむことは地球誕生の経緯から可能性は十分ありそうです。最近、個人起業家がコンパクトな機械を製作し世界に向けて発売しているようです。

26・ 日本の自然災害対策　震災前の生活　古来の 耐震建築

地震国日本　日本国土の地球プレートは北アメリカＰ、ユーラシアＰ、インドネシアＰ等いくつもの重なり動いています。その擦れ合いで地震が発生し災害を起こします。地震国日本の対処の仕方を分析していきます。

＊3.11地震津波自然災害　2011年3月11日　東日本大震災の津波による被害が岩手宮城福島茨城の太平洋側にあり、その大きさは想定をはるかに超えていました。

行政の復興対策のあり方　行政の防災対策は津波を防げる高さの防波堤を築き浸水した平地を造成高台にしています。再度起きるであろう津波を想定して。その防波堤と高台は海と陸の縁を切り離すようにです。同じ例として推定震度6の1993年7月に津波の高さ30m死者行方不明者198人を出した北海道奥尻島の防波堤対策は海との縁を切る干潟を無視した虚しい状況です。

　しかし、この先、防波堤の高さを越える津波が来ないとも限りません。くれば意味がないことになる自然災害なのです。行政の策で、海辺の住人は高台に移され生活が一変して翻弄させられているようです。

海と人々の生活　海は人に多くの恵みを与える、侵してはならない聖域です。地域住民にとって海との生活は先祖代々続けられてきたのでしょうから、その状況を大き

く変えることが問題なのです。過去からの教訓があり「津波が来た時は高台に逃げる」で、囲って守るのではなく人自ら逃げることが昔からの鉄則なのです。被災者は避難場所の高台まで逃げる道路に車が殺到して辿り着けず、多くの命が奪われました。

避難道路整備　最初にやるべきことは「避難場所高台へ向かう道路整備」なのです。歩くことが不自由な人には緊急時に始動する「動く歩道」を道路に併設して高台に繋げるようにし津波の高さに応じて高い場所へ逃げられるよう、整備設備することが対策なのです。この動く歩道に複数の地域に枝道から動く歩道を連結させ、年一度は避難訓練で始動の確認をするとともに、災害時の教訓を思い起こすことが防災対策なのです。そして避難するための道路整備をしたうえで、災害以前に近い住宅店舗工場を復元し生活を早く取り戻すことを優先すべきです。

遺構物の考え方　また、被災者住民の方々は、海岸から数キロ入った大型船や建物の遺構を残そうと意見が分かれています。災害の規模の大きさや亡くされた方々の思いは理解出来ますが、これは自然災害です。広島長崎や第五福竜丸被爆の人災とは違い、遺構は戒めることにあり、優先順序のもと震災前の生活を取り戻すことを優先することです。家族親族友人を失った方々の思いも大事ですが計画に支障がないようにすべきです。遺構の証を碑にしている岩手宮城各地のように優先順位を決めるこ

とです。また、遺構の維持管理に毎年かかる費用を考慮すれば将来への復興こそ本来の成果になるはずです。

＊「遺構」「1」は残す「3」「形を碑」「4」に変え「偲び思い」「5」を「継承」「7」する。行政策は、津波「1」から被害の調査分析、解明「3」をしないまま遠回りしても尚成果「4」に至らない状況「5」を延々「7」と続けている悪い手本「5」になっているのではないのでしょうか？

＊**阪神淡路大震災**　平成7年1月17日（1995年）南海トラフによる阪神淡路大震災がありました。この震災で、五重塔の被害が一塔報告されています。心柱を鉄筋コンクリートで建て替えられた五重塔の柱にひび割れが出ました。しかし、他七塔の在来工法には被害はありませんでした。これは古来から地震を想定して作られていたからです。在来の塔は地震力を吸収する構造になっていて最上階の屋根の片側が下がるとすぐ下の階の屋根が上がり、各階同様な動きがなされて、まるでスネークダンスをしているようにバランスをとります。中心にある柱は数本の柱の癖を考慮して一つに束ねかつ長さをランダムに繋ぎ固めて一体化しています。そして大半は床から浮いていて、建物全体の閂抜き棒の役割を果たしています。これも地震力に逆らわない工夫なのでしょう。地震国ならではの優れた工法なのです。

＊**関東大震災**　大正12年9月1日（1923年）死者行方不明者10万人以上を出した関東大震災は未曾有の大震災

でした。起きたのは昼飯時で各家庭は火を使っていたため被災者は直接地震での圧死より火災被害の方が多かったと伝えられています。古来日本の住宅は今のように地べたと一体になる建て方ではなく、地べたと縁が切れる建て方で建物の地震による崩壊は少なかったようです。基礎は鉄筋コンクリートでなく石場建てで柱の足元を直接石に載せただけで滑り落ちた柱が石と地べたの段差で建物が傾いた結果の火災被害です。火を使う時間帯でなければこのような大きな被害は少なかったようです。帝国ホテルを設計した米国の建築家フランク・ロイド・ライトは地震の多い日本を考慮して、地盤と縁を切るため一定の杭を打ちその上にコンクリート板をいくつも敷き詰めてそこに建物を立ち上げていました。米国での報道とは違い実は帝国ホテルの被害は少なかったのです。まさに日本建築の古来「1」の建て方を調査分析解明「3」しての地震対応設計「4」なのです。

＊「地震対応建物」「1」は揺れ「3」を「吸収する木構造」「4」で「揺れ対応型」「5」が「維持継続」「7」されます。又、「揺れの根源」「1」に「繋げない」「3」ことに「日本建築」「4」に「良さが」「5」あります。

　台風対策　また、台風も多いため、屋根は勾配がきつく風に飛ばされないようにその形や方向も考慮されていました。費用に余裕がある建物の屋根は重い瓦を使っています。

第六章

問題点を「これからを数」で整理する

　「成果4」を早く得るには「手本5」を参考にすること
です。得られた成果は「循環36」し「持続7」し先の成
果を目指せます。

27・研究者の二足歩行ロボット開発

開発初期のロボット　ロボット開発は子供の歩き方に注目したと研究者は言っています。「いかにしてバランスよく体重移動させ転ばないように歩かせるか」を課題にしたそうで。このことからも「ロボットが人間と同じように動いて働かせる成果を得たい」研究であれば、既に歩ける子供よりこれから歩く赤子に注目すべきだと思います。現状、歩くのではなく平らな床をローラーで滑るような動きで段差を克服していません。人と同じ二足歩行の成果は遅々として早い実現は難しいでしょう。その点赤子を研究すれば早い成果が得られます。それはどういうふうにして歩けるようになるかで、育てた母親がよく知っています。

研究費用　企業や研究者は性急に成果を求めています。それは研究費にあり多額になると撤退せざるを得なくなるからでしょう。でも、「数」で整理すると性急な研究は結果遠回りになり、現状を続けると結果研究費が高額になります。最初から適切な予算を組まない日本政府の貧しさの表れで、先を見据えられないゆとりのなさからです。

赤子の歩くまでの過程　その過程は、赤子が立てるようになって歩き始めるまで「ゆっくりゆっくり」とは歩きません。立ち上がり方向が定まると転ばないうちに急い

で母親の膝元へ倒れ込みます。「ゆっくり」でなく「急いで」です。この点、ロボットを研究する人たちとは全く逆と言えます。歩ける子供を対象としているからです。「手本」の対象が違っているように思えます。

　ロボット「1」を赤子の足裏の調査分析「3」から転ばないで歩く成果「4」に到達する。が、「数」で整理する対象で、今の研究はそれとは真逆の転ばないで歩く子供「1」を調査分析「3」から慎重に歩く成果「4」を目指したわけです。結局人間と同じように動き働ける成果に繋がらず空回りしています。

　赤子を「手本」にすると、「調査分析」で歩く前の赤子の足裏は柔らかく、これからに備えています。各指先の力は意外と強く歩く力の準備が出来ています。最初立ち上がる時は各指とその付け根と足指で安定させて姿勢を保ちます。時に安定を失い尻もちをつく時座り込むように後ろに倒れ、それを繰り返すのです。小指の付け根から踵に向かって力が伝わり鍛えられます。そうしているうちに前に進む動作で指と指の付け根で構成される「四角形」から前に倒れるように指先に力が入り駆け込み母親の膝に倒れ込みます。ゆっくり歩けるようになると踵から小指つま先に力が移動して左右の足を動かします。順序的には赤子によっては違いがあるでしょうが、この繰り返しで足裏が鍛えられ、歩ける「成果」になるのです。

研究中のロボットの足裏　ロボット歩行の上達も同様足裏にあります。今ロボットが転ばないで駆けることが出来ると世間で騒いでいますが、実はゆっくり歩く、あるいは向きを変えるなど変化することの方が難しいのです。赤子の足指と同じ働きが出来るロボットが出来た時には危険な場所に入り込む等人間と同等以上の働きが見込まれます。最近ロボットの足裏に柔らかい素材を付けているのをTV報道で見ました。今、足裏にどの程度の研究が注がれているか詳しく知りませんが、人の足裏をよく観察研究すれば早い成果が得られかえって費用も安く済むものと思われます。

＊足裏「1」の調査分析「3」を丁寧にすれば本来の歩く成果「4」がいずれ人の役に立つロボット「5」に繋がるのです。

28・地球に溜まる「ごみ」不循環物処理は人体機能「手本」から

人体機能　人体機能から学ぶことは、人の体は水分が大半で主に酸素と炭素で形成され、重さで酸素61％炭素23％他水素窒素16％を含め18の元素で作られています。

　外部から内部の構成とその働きについて、生命を維持する食物の入口は口、出口は尿、便の一つずつです。

食の流れから　口からの食物は歯で咀嚼して細かく砕き唾液と混ざり合い食道を通して胃にたまり強い酸性の胃液と混ぜ合わされ、胃液に含まれる消化酸素ペプシンが蛋白質の分解を始めます。胃の中でさらにドロドロの食塊になった後少量ずつ十二指腸に送り込まれ、その刺激が引き金になり胆汁や脾液といった強い消化作用のある消化液が分泌され本格的な消化吸収が開始されます。

肝臓　では栄養など各種必要物質に変え補給し、老廃物を分別して排泄へ送ります。

膵臓、脾臓　では人体消化の膵液には15種類以上の酵素が含まれていて糖類、蛋白質、脂肪など様々な栄養素に応じて最適な消化酵素が用意され消化吸収の中心となっています。

胆嚢　で胆汁は脂肪を溶かして消化吸収を助ける働きで牛乳のように乳化して水と混ぜ合わせた状態にする働きをします。それぞれの食物の栄養に応じて消化酵素を出

します。

小腸　では需動運動（内容物を肛門側に送る）神経を伴っていてそこでは栄養が吸収されミルクセーキの状態になり

大腸　に流入してゆきます。上行結腸を移動する間、水分が吸収され下行結腸に入るころには粥状になり、S状結腸を通る頃には固形化して直腸に貯め込まれ水分を吸収し便を作ります。全ての臓器は原型「三角錐」で働く動きを起こす「3」で活躍します。

＊「咀嚼」—再生させるための分別と粉砕

＊「消化酸素ペプシン」—熱等でドロドロにして再生の原料をつくる

＊「老廃物を分別」—上記再生原料から不純物を分別して再生可能な原料にする

＊「膵液には15種類以上の消化酵素」—成型するものに合わせて酵素を加える

＊「胆汁」—老廃物を取り除いた原料を取り出しより純粋な原料にする

＊「需動運動」—老廃物を分別処理

＊「粥状になった排出物」—再利用循環可能物に上記各部位を動かす血液

＊空気から酸素を取り出し血液血流で必要素を分別する「3」作業「4」から

呼吸　鼻から取り入れた酸素は二つの肺に送り込まれ、

心臓　に戻ってきた血液に酸素が取り込まれ動脈を通して肝臓から作られた栄養素を体全体に運び、同時に老廃物も腎臓に。

二つの腎臓　へ運ばれて血液をろ過し、その粕は尿として排泄されます。一側腎約百万個のネフロンが役目を担っています。こうした機能は「循環型4」リサイクル上の工程でも見られる様です。

心臓機能と血管　人体の血液を送る血管も動脈から毛細血管までの形は円錐です。血管は総延長約10万km、地球二周分（86,827km）でこれによって生命が保たれるのです。

　各種インフラなくして生命の維持成長はありません。生命の軸円錐形は吸収排出の働きをして成長のもと生存する状況を一定期間維持させます。

内臓機能から人工的機能を工場で　工場で先ずチップ状にしてから熱を加えてドロドロに溶かし必要なものは消化吸収する如く結合し易いもので集められ材料として加工しやすいように蓄えます。不要なものは乾かしふるいにかけ分別し粕として排出され各業界で利用され地球には戻しません。大まかですが可能であれば地球環境は改善出来ます。人体機能を「手本」に開発させたいものです。

29・家庭の節電対策

　節電はこまめに電気を切ることはもちろんですが、一般家庭であまり気付かれていないコンセントに差し込まれたままのプラグに流れ込む微量電気です。その電流は家庭で使われる電気量の約7％分に相当するそうで、せめてこの半分程節電出来ないかと考えてみました。

節電対策　注目すべきはコンセントに差し込まれた電気プラグで、電気コンセントは外出時、睡眠時、使用していない時でも差し込んだままです。差し込みを一つ一つ外せばよいのですが電化されている現在では電気器具の数が多くて外すのは大変です。

使用別コンセント　そこで節電のため、コンセントに差し込まれたプラグを一つ一つ抜かないで電源を切るために器具別にまとめると

　　①　常に電気を流しておかなければならない器具

　　②　夜間に必要な電気コンセント、照明

　　③　使う時だけ電気を流す器具に分かれます。

　分電盤の回路同様①と②と③にコンセント電源を分けまとめてスイッチをON、OFFにすれば節電の成果が得られます。

分電盤の回路　家庭での電気は外部から家内部の分電盤に繋がり各回路に分けられて配線されます。配線の仕方は大方コンセント別に分けると、台所回り、居間食堂、

各部屋、玄関（内外）廊下他、専用回路（冷暖房機等一
器具20A相当）になります。又照明関係は家全体の各
配置により一回路ずつの上限（20A）で何回路かに平均
されて配線されます。外部に設置した湯沸かし器等は冬
時期に凍結しないように温める電気が常に流れています。

器具別使用　上記3パターンを器具別で見てみると

　①常時必要な電気（冷蔵庫、保温時の炊飯釜、ファッ
　　クス電話器、鑑賞用生魚等水槽のエアーポンプ、照
　　明や洋便器のウォシュレット便座、外部瞬間湯沸か
　　し器等）

　②夜間睡眠中に必要な照明（玄関灯、廊下、便所灯
　　等）

　③必要な時だけの電気に分かれます。

人の動線から　生活の仕方によってその分別は変わりま
すが三通りほどにしスイッチをまとめてON、OFFする
と年365日毎日が節電になります。「ON、OFFを出入
り口や台所等に設置」外出時睡眠時にちょっとボタンを
押すだけで節電、操作の設置場所は出入りの二箇所に3
路スイッチを設置すれば便利で節電可能でしょう。

30・世界地図の描き方

自国中心の世界地図　世界地図は自国中心に描かれ両端の国には関心が薄くなります。そこで各国にもっと関心を持てる方法はと常に思っていました。

配置の仕方で解決　1960年頃の教科書で確か陸地は上昇陥没で各大陸が出来たと教えられたと記憶（間違いか？）していましたが、それに対し思い気付いたことはアフリカ大陸の端とアメリカ大陸の端がパズルのようにおおよそくっつくことに興味を持ち、アフリカ大陸は実は一つの大きな塊で、それが離れていったのではないかと。その後十数年経ってプレートの移動による（アフリカ、ユーラシア、アメリカ、オセアニア、北極の各大陸）五大陸の誕生となったようでした。世界地図がアフリカ大陸を中心にした描かれ方でしたら先ずは、アフリカとアメリカの大陸はパズルのように一目瞭然一塊の大陸であることが分かります。同様大西洋が太平洋に比べ如何に狭い海洋であることも知ることが出来ます。そこで学ぶ対象国を中心に　世界地図で各国を中心に置けば、隣国との関係で歴史的宗教的交流貿易等密な関係が理解し易いようになるのではないか、と。学ぶ国を中心に描けば、その国の歴史的宗教的と色々知ることが出来、その国との関係が新たになるはずだと。その国から見るわが国を知る機会も得られ、各国共生共存への方向性が生

まれるかもしれません。全ての国が中心でなくともせめて地域ごとに東南アジア、オセアニア、インド、アフリカ、南アメリカ、北アメリカ、ユーラシア大陸東側、同西側、ヨーロッパ、北極大陸の10パーツ程度に分けた世界地図を揃えて欲しいと思います。

＊「共生共存」「1」は各国知る「3」ことで「認識の成果」「4」が「平和」「5」にそれを「維持継続」「7」されるはずです。

最終章

「7」地球

　地球生物は地球リズムで生かされているはずなのに太陽系惑星の中の地球上の核、環境破壊どれもが世界の民の共生共存に悖る。これらを改めるために「数」「13457」で確認。

31・ 太陽「1」と各惑星の距離大きさで比べた地球環境「5」そして月「3」との地球「1」

　地球そして月が地球生物にとって大切なのかを「数」で他の惑星と比較検証してみます。太陽系宇宙の各惑星の距離大きさは光の速さの単位から割り出しています。太陽に近い順から、水星、金星、地球、火星、木星、土星、天王星、海王星の順で、一時期冥王星より海王星が遠いのではないかとされていましたがその後の観測から元に戻りました。その中で太陽との関係で地球が如何に好環境に恵まれているのかを調査分析してみました。

太陽との各惑星の距離と質量　宇宙のビッグバーンで46億年前太陽とほぼ同時期に各惑星が生まれました。その太陽系宇宙では太陽より大きな質量をもつ惑星はなくその中の地球質量は太陽の約1/333,400です。太陽からの各惑星の距離は、水星5,790万km、金星1億0,820万km、地球1億4,960万km、火星2億2,790万km、木星7億7,830万km、土星14億2,940万km、天王星28億7,500万km、海王星45億0,440万km、冥王星59億1,510万kmにあります。また、各質量は地球を1とした時水星0.06、金星0.82、火星0.11、木星317.83、土星95.16、天王星14.54、海王星17.15です。

太陽との関係を「数」で検証　太陽との関係を「数」で表すと 1 ÷ 333,400 = 0.0000029994 地球は少数点以下六

行目から29994で動きを起こす「3」。そこで、太陽との関係を調べるに質量×距離から分かることは0.0000029994×14,960万km＝447.9で太陽からの成果「4」となり、太陽を元に地球は成り立っていることになります。同様水星は少数点以下七行目から17996これに距離を掛けますと小数点以下三行目から1041968で「1」、金星は以上から「2.6」、火星は「7.5」、木星は「7.4」。よって、太陽からの影響状況は水「1」、金「2」、地「4」、火「7」、木「7」となります。

各惑星の環境　上記より、地球「4」で太陽との関係は「成果」であることが分かりました。因みに、金星は「2」から「1」に分解され水星同様太陽「1」にいずれは同化されるようです。火星、木星は延々と変化なく太陽とこの関係を保つことになるでしょう。

月あっての地球　太陽から恵みを受ける地球は月とどのような関係があるかを探ってみます。月は地球にとって唯一の惑星で地球からの距離は平均38万4,403kmあり月の自転は約27.32日、地球の周りをまわる公転周期と同期し月は地球に裏面⎱月にぶれがあるため41％⎰を見せません。北極真上から地球を見て月の公転と地球の自転は、時計と反対廻りで同じ方向に廻ります。地球を回る月の公転軌道は楕円周期で約36万〜40万kmです。

　月と地球の大きさの比率は地球の約3.7分の1、これは太陽系惑星で最大比率です。この関係から分かること

は、地球の大きさ $1 \div 3.7 = 0.27027$ 数で「27」月自公転の日にち（約27.32日）に近いこと動きを起こす「3」、地球と月の平均距離から $384403\text{km} \times 0.27027 = 103892.0$ の数「1」その関係は、地球に対して月は同等であると「数」からも分かります。また、地球の地軸の傾きを安定させていて月がなかった場合現在と比較して劇的な変化が起こり、それに伴い気象変動が発生し生物の発達や生態系が今のような形になることは不可能であろうと考えられています。月の誕生は地球の傾きに関係する惑星との衝突（ジャイアント・インパクト）でこの時出来たガスの雲が冷却沈殿で集まり固まって月が生まれた合体説や地球の誕生とほぼ同時期という説があり、シルバーランド・テセエラと言う惑星の名があります。月は他にも、捕獲説｛他人説｝・分裂説｛親子説｝・兄弟説｛双子説｝などがあります。

月の地球への影響　地球に見せる月の姿位置は約29.5日周期で同じ形に戻ります。因みに月の重さは地球の6分の1　$0.16666\cdots = $「5」$\div$「3」$\times 1/10$ 地球「1」としたとき月の姿日数や作用する重力「3」あっての関係が大きく表れています。そして興味深いのは、月の質量は地球の1/81。質量から地球対月は $1 \div 81 = 0.0123456790123456790\cdots$ で小数点第二位以下は12345679と「繰り返される」数です。その中に「4」があって「8」がないのは再び分解されないことで、いず

れ月自体が地球同様惑星自立して地球への影響が薄れていくことでしょう。事実月は毎年約3.8cmずつ地球から離れ、誕生した当時の距離は近く約2万kmで、2万km × 0.27027 = 5.4054その状況は海と陸の間干潟「5」。月重力からの地球への潮汐作用は今よりずっと強く、海からの陸へ生命誕生進化に影響を与えていたのではないかと思われます。

太陽と地球月　地球に月の質量を加えた太陽との関係は 0.0000029994 + 0.0000029994 ÷ 81 = 0.0000029994 + 0.00000003702 = 0.00000303642これに距離を掛けると 0.00000303642 × 14,960万km = 454.25で「5」月あって「状況環境」が整うのです。

月による「干潟」　月による「干潟」は陸上生物の発祥地でその干潟は今でも生態系生物の基本となる貴重なところ、その干潟を無視した干拓工事は許されない行為です。

地球から離れて行く月　何億年か先には離れて行く月からの影響力がなくなり地球環境に大きな変化が起きることは間違いなさそうです。現在でも生物ホルモンリズムは月からの人間に加わる重力は蚊1匹程度でバイオリズムに無関係なほど、気象や生物に何らかの変化が出てきていることは事実かもしれません。月なくして地球環境「5」はなかったのです。

月暦　月単位の一年　一年を12（エジプト人の天体シ

リウス星座観測から）の月単位で表しました。

32・共生共存へのバランス

共生共存　共に生きつつ存することは争いなくそろって
生き続けることにあります。

　そこに共通の目標が生まれ互いに理解し合えるのです。
が、地球上各国共通し合えない宗教上や王国制、共和制、
民主制それぞれに主義主張があり歴史的にも互いに憎し
み合っています。第一次世界大戦から第二次世界大戦終
了まで77年間争いが続き「7」終戦の1945年から77年
が過ぎた「7」現代の2022年から何が起きるのか、今ウ
クライナがロシアに侵され全世界が二つに分かれ始めて
います。各国代表が国連で話し合いを続けているのです
が、解決策の方向が見えてこない現状、共生共存の地球
リズムを忘れかけている人間達が地球に見放されそうに
なっていることに気づいていません。スウェーデンの環
境活動家「グレタ・トゥンベリさんに続く若者たち」の
"THERE'S NO PLANET"―地球に代わる惑星はない。
のです。

　日本の歴史から共生共存の参考になる例を挙げると徳
川家康の全国藩の配置にそれが見られます。

江戸幕府の制定　全国を治めた徳川幕府が行った各藩の
配列は、過去からの教訓から隣同士各藩が結束しないま
た、争いを起こさない共生共存を目指しました。

各藩の配列　関ケ原の戦いで敵味方を整理し隣国同士徳

川に近い大名と秀吉に近い大名を配置し、加賀藩に前田、薩摩藩に島津、長州藩に毛利、土佐藩に山内、津藩に藤堂、米沢藩に上杉、秋田藩に佐竹、肥後藩に細川、岡山藩に池田、佐賀藩に鍋島、福岡藩に黒田、仙台藩に伊達の12の外様大名（関ケ原の戦い前後に徳川へ組み込まれた大名で幕閣の老中などの要職につけない）を徳川家に同調しない国や豊臣系寄りの隣国に配置して、結託しないような配列で共生共存を図りました。また、三代将軍家光は参勤交代で資金を出費させ、各街道沿いの旅籠や商店の民に経済面で還元させたのです。また、キリスト教断絶の為ポルトガルとの交易を断つ鎖国の始まりです。

　藩の配列は、先の＊30で述べた「世界地図の描き方」と同じ意味合いがありそうです。

　地方再生　参勤交代で街道沿いの旅籠や商店に経済面で還元させたのと同様これからの地方再生は地方特有の地べたで休耕田を活性化し、更なる生態系に活力を見出し自然に親しむ集客で賑わせたいのです。地方によって再生方法は様々です。最近では、地方行政が若い方々を受け入れやすくしているのは好ましいことで人間同士また、生態系の共生共存です。

　ウイルスとの共生共存　地球誕生から16億年経って発生した様々なウイルスが、およそ100年単位で人間に感染する、起こるべくして起きている自然界の摂理です。

これも共生共存のあり方なのかもしれません。ウイルス
で亡くなった方々にはご冥福申し上げます。

まとめ

　地球上のどこ「1」で生まれ、育った「3」かによって
各生物には与えられた環境「5」に違いがあり、また、
成熟「4」してある場所「5」で死ぬことは万物にとって
自然「7」なことです。この必然のなかで生物は地球か
ら恵みを受け学び知りその恩恵に感謝し、環境改善の成
果を求め続けなければいけません。しかし、天動説を唱
えていたころとあまり変わらない感覚で人間は地球の生
体リズムさえも忘れかけています。地球誕生から今起き
ている異変は人為的なのか、温暖化は生態系のバランス
を崩し地球を汚しています。・中国大連での夏目漱石は
「物の関係と三様の人間」で"バランスよく発展してゆ
く必要とせわしく生きざるを得ない人"を講演していま
す。ここまで来てしまった人間はもうせわしく生きるこ
とから解放されても良いのではないでしょうか。人間格
差から起きる世界の「ヘイステイ経済」。少しでも是正
すべき出来得ることは、全世界の国民一人々々からです。
各国は衣食住に関わる産業は多かれ少なかれ以前から
あったはずです。しかし、今は環境を壊すほどの経済優
先に走り、国力を付ける国内外生産「7　3」の割合に気
付かずそのバランスが崩れています。
　我々先祖2、3世代が100年程度で環境悪化をさせたな

らその責任なりの何かをしなければならない子孫への責務があるはずです。地球異変への低酸素社会への挑戦は人間の使命で「生体リズム」本能を目覚めさせる時です。本来の成果「4」は「何か」の「1」を難しく考えることではなく、あるがままの必然からの延長上に有るのです。これを捻りすぎての行為は人類を駄目にしてしまうのです。もう基本に戻る時早く地球に養生してもらわなければなりません。

　デンマークに45ヶ所あるエコヴィレッジのように地球に優しい生活を多くの人間が送れば地球人類の課題が見えてくるはずです。

　この生活のあり方は自然エネルギー使用でもかつての世界各国で見られた生活と同じで雨水の利用や、風通しの良い住宅の作り、植物を多く配し、無農薬の菜園など70－80年前の我が国の生活そのものです。ここでは化石燃料を使用しないため米国石油経済社会に抵抗の表れもあるそうですが、「スローな経済」がこれからなのです。

　そして、地球温暖化対策では、気象庁の天気予報でも一歩進んだ言葉が欲しいのです。

　今の予報は「気象庁始まって以来」のとか、「親潮、黒潮の蛇行した流れや偏西風の大気の異流エルニーニョ、ナニーニョの影響等々起きている現象」とか、近年の異常気象の要因は多々あると思いますが「気象は海から」

です。それは、「地球は青かった」との最初の宇宙飛行士ガガーリンの一声からも地球の7割は海です。「数」からも陸汚染がもたらす「3」海「7」を汚す海温上昇に。海水温上昇の要因の一つが海に溜まるプラごみにあり「温暖化は海水温上昇に」「海水温上昇は温暖化に」と「悪循環7」になっていることの言葉が欲しいのです。その要因が家庭で使われているプラスチック製品に、その使い捨てが海に溜まっていることに触れてほしいのです。環境改善に我々の身近な生活が関わっていることを伝えれば、我々の意識が変わり行動を起こします。増やさない削減（リデューウス）が始まります。

　太陽から恵みを受けている地球は温暖化が進んでも11年周期で訪れるグランドミニマム現象で太陽が弱くなれば相殺されます。しかし、太陽が復活した時地球に悲劇が起きます。その時期は「70年周期で起きる」「良、不良の不良期」に重なる2026か2029年（2015 + 11 = 2026年又は2018 + 11 = 2029年）には人類生物にとって非常に過酷な時期に入りそうです。もう残された時間はありません。

国際条約◎パリ協定2015年

南極条約

　1961年6月23日　南緯60度以南地域に適用される条約。軍事基地建設、軍事演習実施など禁止、科学的調査の自由と国際協力の促進、南極領土主張の凍結などを規定。

国際環境計画

　1972年6月　（UNEP）

　United Nations Environment Programme
「かけがえのない地球」を合言葉に、「人間環境宣言」と「環境国際行動計画」を実施移行するための機構設置。オゾン層保護、気候変動、有害廃棄物、海洋環境保護、水質保全、土壌劣化阻止、森林問題など環境分野を対象に、国際協力活動を行う。

ワシントン条約

　1975年7月1日「絶滅の恐れがある野生動物の種の国際取引に関する」国際取引の規約で、動植物の保護を目的にする。

ラムサール条約

　　1975年12月21日「特に水鳥の生息地として国際的に
重要な湿原に関する」国境越えで湿原や沼沢地、干潟の
開発埋め立てから保護。

国際熱帯木材機関

　　1985年　（ITTO）

　　1988年9月22日

「1983年国際熱帯木材協定」に基づく国際機関。違法
伐採、森林認証、森林法の施行、非木材森林生産物、環
境サービスなど、新課題にも対応。

「オゾン層保護のためのウイーン条約」　オゾン層の破
壊に伴い紫外線の量が増加、人体、自然生態系に悪影響。

モントリオール議定書

　　1989年1月1日　「オゾン層破壊物質に関するモント
リオール議定書」先進国は破壊物質の全廃を達成してい
て、途上国の削減を99年より逐次規制を開始。

バーゼル条約

　　1992年5月5日「有害廃棄物の国境を越える移動及び
その処分の規制に関するバーゼル条約」

　　ヨーロッパからの廃棄物がアフリカに放置されて環境
汚染が生じていることから。

持続可能な開発委員会1992年　（CSD）

Comnission on Sustainable Development

「アジェンダ21」地球サミットで採択された行動計画。その情報の検討、各国政府の活動の情報の検討、その資金源とメカニズムの妥当性を定期的見直し、NGOとの対話の強化、環境関連条約実施の進捗検討、経社理を通して適切な勧告。「関係する機関や組織の役割を考慮しつつ、強化される必要がある」

生物の多様性に関する条約（CBD）

1993年12月29日

Convention on Biological Diversity

生物の多様性の保全、その構成要素の持続可能な利用及び遺伝資源の利用から生ずる利益の公正かつ公平配分を条約の規定に従って実現することを目的とする。

気候変動枠組条約　94年3月21日　大気中の温室効果ガスの濃度の安定化を目的とし、地球温暖化がもたらす様々な悪影響を防止するための条約。最高意思決定機関である締約国会議（COP）

途上国への資金供与、技術移転を行う。

砂漠化対処条約　96年12月26日　「国際的に連帯と協調をすることによって、砂漠化の深刻な影響を受けている国々、特にアフリカ諸国の砂漠化を防止するとともに、干ばつの影響を緩和すること」環境保護に関する

南極条約議定書

　1998年1月14日　「南極条約議定書」または「マドリッド議定書」鉱物資源活動禁止、査察のための（処）置、紛争解決手段などが規定。南極動物相、植物相の保存、廃棄物の処分と処理、海洋汚染の防止南極特別保護地域の規定。

カルタヘナ議定書

　03年9月11日　「生物の多様性に関する条約のバイオセーフティに関するカルタヘナ議定書」地球上の様々な生物の生体系のバランスを崩さないように、人為的につくられた生物（遺伝子組み換え生物）を環境へ導入する場合の適切な管理や、評価制度の整備について盛り込まれた国際的な枠組みを規定した議定書。

ロッテルダム条約

　04年2月24日「国際貿易の対象となる特定の有害な化学物質及び駆除剤についての事前のかつ情報に基づく同意の手紙に関するロッテルダム条約」

ストックホルム条約

　04年5月17日　「残留性有害汚染物質に関するストックホルム条約」ダイオキシン類PCB（ポリ塩化ビフェニール）DDT。

京都議定書

　05年2月16日「気候変動に関する国際連合枠組み条約の京都議定書」

　1997年京都で開かれた「第3回気候変動枠組条約締約国議」で決議した議定書で、地球温暖化の原因となる二酸化炭素CO_2、メタンCH_4、一酸化二窒素N_2O、ハイドロフルオロカーボン類HFCs、パーフルオロカーボン類PFCs、六フッ化硫黄SF_6の六種の削減率を1990年を基準として各国別に定める。ただし、締約国はHFCs、PFCS、SF6の基準年として1995年も選択可能とした。先進国や市場経済移行国全体では1990年に比べて少なくとも5％削減目標とする。－6％は日本、カナダ。－7％はアメリカ（不実行）。－8％はEU。ロシアは0％。

参考資料

ニュース　報道　特集　朝日新聞　NHK　民法放送

『気象のはなし』（技報堂出版）

『数の神秘』（現代出版）

『いのちの輝き』（翔泳社）

『元素がわかる』（技術評論社）

『健康ライブラリー』（講談社）

『大腸がん』（双葉社）

著者プロフィール

髙田 賢吾（たかだ けんご）

1946年神奈川県生まれ。
(株) 馬場建築事務所　中野ブロードウエイセンター監理。
所長・馬場信行氏に従事した。建築家。

「数」13457

2024年3月15日　初版第1刷発行

著　者　髙田 賢吾
発行者　瓜谷 綱延
発行所　株式会社文芸社
　　　　〒160-0022　東京都新宿区新宿1−10−1
　　　　　　　　電話 03-5369-3060　（代表）
　　　　　　　　　　 03-5369-2299　（販売）

印　刷　株式会社文芸社
製本所　株式会社MOTOMURA

©TAKADA Kengo 2024 Printed in Japan
乱丁本・落丁本はお手数ですが小社販売部宛にお送りください。
送料小社負担にてお取り替えいたします。
本書の一部、あるいは全部を無断で複写・複製・転載・放映、データ配
信することは、法律で認められた場合を除き、著作権の侵害となります。
ISBN978-4-286-25115-8